「頭がいい」に騙されるな

池田清彦

宝島社新書

はじめに

今の日本で「頭がいい人」と聞いて、みなさんはどんな人物像を思い浮かべるだろうか。高偏差値の大学を優秀な成績で卒業した政治家や官僚か、経営者か、それともインフルエンサーやオピニオンリーダーなどといわれる者たちだろうか。

だが、その「頭がいい人」たちが、政治や経済を主導し、世論を形成してきた日本の現状はどうだろう？　「失われた30年」といわれるように、かつて経済大国と呼ばれた時代の面影は消え失せた。外国人観光客たちは「安い国」となった日本にやってきて、一般の日本人には手が出ないような高額の料理を楽しんでいる。一般国民の生活レベルはずっと低迷したままで、さらには少子高齢化やＳＮＳ上での誹謗中傷、若者の無気力化などの社会問題もどんどん悪化している。

なぜ、そんなことになっているのか。そこには２つの大きな問題がある。

一つは、日本人の考える「頭がいい人」の定義が、根本的に間違っているということ。日本式の頭のよさが通用していた時期もあっただろうが、少なくとも現今の世界の状況にはまったく対応できていない。

もう一つは、「頭がいい人」に、まったく国や社会をよくしようという考えのないこと。自民党の裏金問題や官僚の天下りなどを見れば、彼らの頭の中にあるのが、自分の利益のことだけだということは明らかだろう。

このような状況を変えるためにはどうすればいいのだろうか。本書では、いわゆる日本式の「頭がいい人」の実態と、真の天才が報われない日本の伝統的な社会システムの問題点を指摘した。これを改善する方策や、本当の頭のよさとは何かということについても、私なりに考察している。今の日本のおかしな状況を少しでも変えたいという方は本書を参考にして、ぜひ自分の頭で考えていただきたい。

2024年4月

池田清彦

目次

第二章　目先の利益しか頭にない人々

第三章　天才を殺すニッポン

第四章　本当に「頭がいい」とはどういうことか？

カバー・帯デザイン／bookwall
本文ＤＴＰ／一條麻耶子
編集協力／早川 満

※本文中は敬称を略させていただきました。

第一章　誰も言わない日本凋落の真実

なぜ日本からGAFAMが生まれないのか

　１９８９年の世界の企業の株式時価総額ランキングを見ると、日本のＮＴＴや都市銀行などがトップ5を独占し、上位50社中の32社が日本企業だった。だが平成の終わり、２０１９年の同ランキングで50位内に入っている日本企業は43位のトヨタ自動車だけである。

　なぜ、それほどまでに日本企業は凋落してしまったのか。経済政策などの外形的な理由は当然さまざまなものがあるだろうが、私はそれに加えて、人的な問題も大きかったと考えている。「日本人の考え方や行動が時代に合っていなかった」――もっとはっきり言えば、「日本人の思考停止」がこのような事態を招いてしまったと思うのだ。

　１９８０年代、日本製の自動車や家電製品がアメリカの市場を席巻すると、当初アメリカは自国の牛肉やオレンジを日本に買わせることで貿易摩擦を解消しようとした。

　しかし、それだけだとアメリカ国内の産業の空洞化を避けられない。そこで日本を追い越すために、最初は製造業に注力する日本のやり方を真似ようとしたのだけれどうまくいかなかった。アメリカ人の気質は日本人とちょっと違うから、同じようなことをしようとしても無理があったのだ。

そんな状況で「日本のやり方を真似しているだけでは、アメリカの産業は伸びないのではないか」と気づいた人がいた。

当時、コンピュータの発達に伴って、日本では自動車や家電製品での成功体験と同様に、半導体製品やコンピュータ部品などのものづくりに注力していた。その時にアメリカでは「日本と同じことをコツコツとやっていくよりもコンピュータを使って何か新しいことを始めて、それで儲けるモデルをつくったほうがいいのではないか」と考える人が出てきた。マイクロソフトの設立は1975年、アップルの設立は1976年だから、その頃から先見の明がある人がいたのだ。

おそらくアメリカの指導者的な人たちも「日本とは別のコンセプトでやったほうがうまくいきそうだ」と考えたのだろう。まずは日本製のスーパーコンピュータをアメリカ市場から締め出すなどの規制をかけた。そうして1990年代後半あたりから業績を伸ばし始めたのが、のちにビッグ・テックと呼ばれることになるＧＡＦＡＭなどの企業だった。

町の発明家といったレベルだった人たちが独自の技術やサービスをどんどん開発していき、それがグーグルやアップル、メタ（フェイスブック）、アマゾン、マイクロソフトのような大企業にまで成長し、ついには世界を席巻するようになった。

米国のネット企業が世界を席巻した裏事情

ＧＡＦＡＭが成長した最大の要因は、知的財産権というものが世界的に認められるようになったことにあった。一般家庭レベルにまでコンピュータが浸透するよりも先の１９９６年、世界知的所有権機関（ＷＩＰＯ）が、インターネットなどの情報通信技術の発達に対応するための「著作権に関する世界知的所有権機関条約」を作成すると、アメリカは１９９８年、これに対応した「デジタルミレニアム著作権法（ＤＭＣＡ）」をつくり、国内法を整備していった。すると、その枠組みの中で誰も考えなかったような新しい製品やサービスが生み出され、それを世界中で使ってもらうことでグローバルな市場でビジネス展開ができるようなシステムをつくり上げた。

一方の日本はそれまで、新たな何かを開発することよりもアメリカやヨーロッパで発明されたものを流用したり改良したりということばかりをやってきたため、１９９０年代になってもなお、知的財産権というものをさほど重要なものとは捉えていなかった。法的なところでも、従来の著作権法や不正競争防止法の部分的な改定にとどまった。

その頃まで特許権というのは割とローカルなものと考えられていて、日本でいろいろな特許を取得しても通用するのは日本国内だけということが多かった。ところが、コンピュータとインターネット技術の発達によって世界中にネットワークシステムが張り巡らされると、そこで用いられる技術やサービスを世界中の人が使うことになり、それに伴い特許権や著作権も国際的に適用されることになっていった。市場のグローバル化により、人気を得たサービスやコンテンツは以前までとは桁が２つくらい違うほど利用者が増え、そうすると、それまでは国内市場で１億円儲かっていたものが、一気に世界規模の市場を相手にして１００億円の儲けになったりした。

　そうなったときに、ビジネスの形式は前例を踏襲するようなやり方ではダメで、新しいシステムに対応した新しいモデルを考えなければならない。そんなネットの世界では、なんでもいいからそれまでとは違ったことを始める人材が求められた。

　新たに生まれたもののなかで、いちばん便利だったり、コストパフォーマンスがよかったり、流行したものはどんどん利用されて、儲かるビジネスになっていった。新しいことは成功するかどうかわからないが、それでもやってみないことには始まらない。そういったことに国家レベルで取り組んだのが、１９９０年代以降のアメリカだったのだ。

　失敗して潰れていった屍《しかばね》が山ほどあっても、50個のなかの1つくらいが成功して生き残ればいいという考え方で、その結果としてＧＡＦＡＭのような巨大企業が誕生した。

　失敗する企業がたくさんあっても、ごく一部の企業が成功すれば、その企業だけでなく国家としてものすごく儲かる。成功した一部の企業に資金や人材も集中するようになれば、他の産業は廃《すた》れてしまうかもしれない。それでも成功した企業が国全体の経済を救うことになるのだから、それでいいという方針を取ることで２０００年代以降のアメリカは経済的に大いに繁栄することになった。

「みんなで頑張ればどうにかなる」という思考停止

だが日本の場合、アメリカのような１００か０かに賭けるというコンセプトがもともとなかった。これが経済停滞の一番のネックとなったのではないか。

いつまで経っても１９８０年代までの栄光にしがみつき、「みんなが一丸となって一所懸命に力を合わせて〝失われた30年〟を挽回しよう」というビジネス感覚が令和の時代になっても続いている。そもそも、そんな思考自体が１９９０年代以降は通用しなくなってしまったのにもかかわらず、そのことを国のトップの連中たちが気づかなかったのかもしれないし、何より企業の経営者たちも気づかなかったのだろう。

日本においては、今でも１９８０年代の気分が抜け切らない経営者がたくさんいて、「みんなで頑張ってまじめにサボらないでやれば、もっと業績が上がる」などと言っている。だが今はそういう時代ではない。サボろうとサボるまいと、何か新しいアイデアを考えるしかない。世界の多くの人たちが「これは面白いぞ」と使ってくれれば、桁違いの業績が生まれる時代だ。

昔と違って今はＩＴ技術者でもなんでも構わないが、いかに新しいアイデアを生み出すかが重要で、そこで競争をして、そのなかでいちばん面白いものを生み出してイノベーションを実現した企業なり、個人なりがトップに躍り出る。そういう時代になっている。そしてそのような企業や個人が、国家全体の経済を救う原動力になっていくのだ。

しかし日本では、新しいビジネスモデルを生み出す企業が現れなかった。結果として経済はこの30年間、どんどん没落していった。

安いニッポン

いくらビジネスがグローバルになったとはいえ、アメリカの企業はアメリカのものだし、日本の企業は日本のものである。だからアメリカでグーグルやメタなどといったところがものすごく儲けを出せば、当然アメリカという国家自体もそこからの税収が増えるわけだし、国民にとっては雇用も生まれる。そうすると国内消費も活性化して、国家全体が潤うことになる。

しかし日本ではそういう企業が現れなかったため、国民の受け取ることのできるお金の総量が減ってしまった。今の日本の大企業でグローバルな展開ができているのはトヨタ自動車くらいのもので、ＥＶ化の波に耐えながらなんとか踏ん張っている。だがそれ以外の企業となると、かなり特殊な分野でなら儲かっている企業はあるけれど、昔ながらの家電製造業はまったくダメになってしまった。会社は頑張ってコストをかけても、昔ながらのやり方ではベネフィットが少なく、それによって上がってくる利益も少ない。少ない利益を社員に分配するといっても、たかが知れている。

とにかく日本社会全体で景気が悪くなっている。だから当然、就労者たちの賃金は安くなる。日本銀行は金融緩和政策を行い、金利をほぼゼロにまで下げて市場に流通する資金量を増やしたので、円安もとどまるところを知らない。

従業員の給料を減らしても会社が立ち行かないため、仕方なく正社員を減らして非正規社員を雇う。こうして負のループが生まれる。今の日本でそれなりにいい給料をもらっている人は、たいてい外資系企業の社員だろう。外資系だと40歳近くで年収2000万円程度もらっている人も結構いる。しかし日本企業だと、うんと特殊な企業以外に40歳でそれだけの給料をもらえる人はほとんどいない。

岸田文雄政権はさかんに企業への賃上げ要求をアピールしていて、たしかにその影響で少しは給料がアップした会社もあるだろう。だが、もう30年以上も実質賃金が下がりつづけてきたのだから、少しくらい上がったところでそれほどたいした変化にはならない。そして給料が上がったのは大手企業だけである。

しかも為替レートを見ると、もっとも円高が進んだ1995年、2011年にはドル／円が70円台だったものが、2024年4月の時点では150円台にまでなっている。つまり世界レベルで見たときの円の価値は半分程度になっている。

だから円高のときと同じ給料をもらったとしても、今は半分の価値しかないわけだ。そういうことを考えると、日本がいかにすさまじい勢いで凋落しているのかがわかる。

「平均的な労働者」という呪縛

第二次世界大戦後のしばらくは高度成長でうまくやることのできた日本が、凋落を始めたのは１９９０年代以降のことである。

１９６０年代から80年代くらいまでの世界の産業は工業生産が中心で、なるべく安く大量に生産するというのが儲けるための最適なやり方とされていた。そして日本人はこのような種類の仕事にすごく適していた。

日本人が画一的な工業労働に向いているのは、教育によるところが大きい。みんな横並びで、上の言うことを聞いて、同じくらいの技量の人間を揃えて一斉に仕事をする。そのときに全体から突出した人間は不要だから、そういう人間は頭を叩いて押さえつけ、勝手なことはやらせない。仕事のできない人についてはレベルを引っ張り上げようとはするのだけれど、それでもダメだったら切り捨てていく。そうすることで、大企業の工場で働いているような人たちのスキルは同レベルになり、安定した工業生産ができるようになった。

　こういったやり方がもっともコストパフォーマンスがいいということで、１９６０年代あたりから全国的に行われるようになり、１９８０年代の終わりぐらいまでは、「この思考とやり方でうまくいっていた。この時期の日本は、家電や自動車などの製造販売によって世界を席巻し、戦後焼け野原だった日本の国民総生産（ＧＮＰ）は、１９６８年に世界2位まで躍進した。

　ところが１９８０年代の終わりから１９９０年に入った頃になると、だんだんこういうやり方では立ち行かなくなってきた。平均的な労働者を育てることばかりを優先してきたせいで、アメリカのようにイノベーションを起こすことのできる天才的人材を育てようとしなかったことが、その大きな原因だ。

明治維新と官僚的エリート

平均的な労働者を育てるというのは戦後からの話ではなく、明治の頃からずっと続いてきたものである。

江戸時代の終わりに革命のようなもの（明治維新）が起きて、その時には優秀な人間がたくさんいた。しかし、すごく特殊な才能があったがゆえに敵対勢力から目を付けられて、失脚させられたり、殺されたりしていった。そうして割と官僚的な人間たちが明治維新を生き伸びることになった。そういう人たちが明治以降の日本をつくってきたわけである。

官僚的な人間たちは自分たちと同じような人材を育成するために、帝国大学や陸軍士官学校、海軍兵学校などのエリート養成学校をつくった。

だが日清戦争や日露戦争で活躍した将官というのは、帝国大学や陸軍士官学校などの出身でもなんでもない。日露戦争でバルチック艦隊を破った東郷平八郎は薩摩藩士として育ち、自ら望んでイギリス留学をするなかで、自分で考えた戦術で戦果を挙げていた。同じく日露戦争の旅順攻略を果たした乃木希典《まれすけ》も萩の藩校に学んだだけで、実戦のなかで頭角を現していった。明治時代には、まだそういう人材がトップに立つ素地があったため、自分で考えた天才的なやり方で戦うことができた。そもそも日本にとって当時、戦争での戦い方の「前例」がなかったわけだから、自分の考えでやるしかなかった。それで日清戦争や日露戦争を戦ったわけだ。

それが明治の終わり頃になって教育がシステム化されてくると、これは今と同じで、学校での成績に優れた「頭のいい」秀才が政治でも軍隊でも中心を担うようになってきた。当然、帝国大学のトップになる人間というのは、受験や学内の試験を勝ち抜いてきたエリートであり、陸軍士官学校や海軍兵学校もこれは同じだろう。

このような秀才たちは自分が試行錯誤をして何かを成し遂げて、その地位を手に入れたわけではないため、学校で学んだことに忠実になる。そういう人間がトップに立つということが明治時代の終わり頃からずっと続いたことで、第二次世界大戦が始まる頃には、以前のように実戦のなかで鍛え、自分で考えて道を切り拓いてきたような人物はほとんどいなくなっていた。

そうすると上に立つ人の言うことをよく聞いて、試験勉強の成績がいい秀才がトップに立つことになる。その典型が陸軍士官学校出身の東條英機だ。改めて指導者としての東條の実績を見てみると、たいていの場合は調停役を務めるばかりで、何か独自に発案し決行するということがほとんどない。秀才タイプの人間は前例のあることならば前例にならってうまく対応できるが、前例がないことが起きたときにはどうしようもなくなってしまうのだ。

　これは今の日本とまったく同じで、前例のない未曾有の事態を迎えたときにどのように対処するべきか、創造的な手段を考えつくことができない。試験での正解ばかりを追求してきたから、どうしても前例主義に陥ってしまう。

　そうして敗戦となった日本は、戦争という行為への反省こそ口にすることはあっても、教育については教育勅語こそ廃止したが、試験を優先する人材育成のシステム自体への反省は一切なく、明治から続いているやり方を令和の今も続けている。

優秀な子供たちが海外の大学へ

　日本が凋落した最大の原因は、横並び主義で、ちょっと変わった、才能のある人間の頭を叩いて潰してきたことだと、私は考えている。

ある意味で特殊な人間を引き立てる思考や組織のシステムがあれば、〝失われた30年〟はなかったかもしれない。みんなが同じことをやっているなかで、一部の特殊な人間がＧＡＦＡＭ的なものを生み出していた可能性はあっただろう。

しかし今ではそういう才能ある人たちは、もう日本にいても仕方がないと考え、外国へ逃げてしまう傾向が顕著だ。だから日本はますますダメになってしまう可能性が高い。ここから再建するとなると、なかなか難しいと言わざるを得ない。

私立の偏差値の高い中学や高校では、東京大学や京都大学、早稲田、慶應という国内の〝一流大学〟を狙わないで、２０２４年度世界大学ランキングのトップ３（オックスフォード大学＝英、スタンフォード大学、マサチューセッツ工科大学＝ともに米）や、アメリカの東部のエリート大学とされるアイビーリーグ（ブラウン大学、コロンビア大学、コーネル大学、ダートマス大学、ハーバード大学、ペンシルベニア大学、プリンストン大学、イェール大学）など、海外の大学への進学を狙う生徒も増えてきているようだ。渋谷教育学園幕張（千葉県）のような国内トップクラスの進学校では、海外の大学への進学を目指す成績上位の生徒を対象にした特別なサポートシステムを組んだりもしている。

子供の将来のために海外の一流大学へ行かせたいという親も増えている。しかし、今の円安状況では海外への進学は学費も生活費も大変だから、「世界ランク29位の東大や、同55位の京大でも仕方がないか」というようなことにもなっているようだ。もちろん今はまだ、そういう親が極端に増えているということでもない。しかし現在の日本の凋落傾向が続くようだと、近い将来に優秀な学生たちはみな日本から逃げて行ってしまうかもしれない。

海外の大学へ進学したからといって、成功するかどうかはわからないけれど、優秀な人材がこぞって海外へ行くことになれば、日本の未来が危うくなることは間違いないだろう。

文科省の「選択と集中」という愚策

文部科学省の最大の愚策の一つとして、「選択と集中」ということが挙げられる。

私がまだ山梨大学の教授だった頃は、たとえば「教育学部の理系の先生は年間いくらの研究費がもらえる」と年間の研究費が決まっていて、どの教授も科研費や特別なファンドを除けば均等にもらえていた。それが文科省の使える予算が逼迫してくると「何も成果が見えてこないような研究にはお金を出さず、成果が上がる研究だけにお金を出す」ということになった。本当に成果が上がる研究であれば、それにお金を出すというのは正しいけれど、成果というのは結果のことである。

だが、あらかじめその研究で有意な結果が出るかどうかなどはわかるわけがない。成果がわかっているのであれば国費を使った研究などしなくても、民間で行えばビジネスとして成り立つ。

まあ、お金さえあれば成果が出ることがわかっているのなら、その研究に予算をつぎ込んでもかまわないが、しかしその前提でやった結果、お金はもらいました、成果は出ませんでした、ということは多々あって、そのときに研究費を受け取った研究者がペナルティを科せられることはない。

研究予算をもらうためには文科省に対して、「この研究はすごいですよ」などと説明するためにいろいろな書類を提出し、それを文科省の官僚や学会のボスのような連中が見定めて、7～8割くらいは落とされて残りの2～3割の研究に予算を集中しようということになる。

　だがその研究がうまくいかなかったときに、書類の査定をした者や研究費をもらった人間がクビになるかといえば、そんなことはない。もらった側がどんなことに使ったのだとしても「一所懸命に頑張りましたけどできませんでした」と言えば、それで済んでしまうのだ。

　研究者としての立場から言わせてもらうと、一見無駄なことに思えるような研究も含めて、あらゆる研究に押しなべて研究費を渡したほうが、結果的に成果が出る可能性は高くなる。研究をしている最中に、本来の目的と異なる成果を挙げることも往々にしてある。

　そう考えたときに、文科省が「選択と集中」を始めたせいで日本の大学での研究は本当にどうしようもなくなってしまったと言える。「選択と集中」などと言うとまともなことのように思うかもしれないが、あらかじめ勝ち馬がわかっている八百長競馬だったら、それでもいいだろう。けれども、どれが勝つかわからないときに「これが勝つ」と予想し、全資金でその馬券を買って、その馬が勝てなかったときにどうするのか。適当にいくつかの馬券を買っておけば、そのなかから大穴が出るかもしれないけれども、勝手に自分たちで本命を決めて1点買いをしている。そういうことを文科省はやっているのだ。

　また、これは文科省に限った話ではなく官僚全般に言えることだが、自分たちのやった政策がうまくいかなかったとしても、誰も責任は取らない。「景気が上がると思ってこういうふうなことをやりました」と実行し、それで景気が下がったとしても、どうこうすることはない。絶対に誰も責任を取ろうとしない。

　だからといって、自分の責任で新しいことを始めた場合は、責任逃れをするのは難しい。その結果、なるべく前例を踏襲することによって責任を自分で負わないようにする。だから、官僚が新たな提案をすることはほとんどない。

イベルメクチンとmRNAワクチン

どの研究が成功するかなどということはあらかじめわかりようがないし、わかるなら苦労はしない。そもそも研究の当事者でもない文科省の官僚が、どうして「この研究は成功する可能性が高い」などと見極めることができるのか。

研究者たちはみんな面白いことをやろうと思っているし、それでものすごい成果を出したいと思っているのだけれど、やってみなければわからないから、試行錯誤しながら一所懸命に研究をしているのだ。そのうちのどの研究が当たるのかは、あとになってみなければわからない。

だが、その可能性を摘むようなことを文科省はやっている。予算がないからというのもあるのだが、それともう一つ大きなポイントがある。予算の配分を文科省が決めることによって、自分たちの権限を強くすることができるのだ。

権限とは一種の許認可権と言ってもいいだろう。「この研究はやってもいい」「これはダメ」と研究を仕分けして、さらには「こんなことでは、そちらの大学にはお金はあげませんよ」と言って、大学の管理にまで踏み込んでいく。「研究費が欲しければ、今度退官する者をそちらで引き受けてほしい」などと、大学を天下り先とするようなことも可能になるだろう。それでも大学側は研究費が欲しいから、ペコペコと頭を下げてお金をもらうことになる。

学会のボスと顔なじみだとか、ボスの弟子筋であれば研究費がつくが、１人でやっている孤高の研究者だと予算がつかないというのもよくある話だ。しかし、たいていの場合、後者のような学者こそがすごい研究をするものだ。

イベルメクチンの発見・開発で２０１５年にノーベル生理学・医学賞を受賞した大村智教授にしても、最初は「妙なことをやっている」と言われていた。

最近だとｍＲＮＡワクチン開発の功績で２０２３年のノーベル生理学・医学賞を受賞したハンガリー出身の女性研究者カリコー・カタリン博士も、最初はそんなくだらないことをやるなと言われ、まったく研究費ももらえなくて四苦八苦していたという。研究の成果に対する賛否はいろいろあるだろうが、「選択と集中」などというやり方では、決して生まれなかった研究であることは確かだ。

結果を出した研究者にお金をつぎ込む日本

アメリカのすごいところは、そういう研究者に対してもお金を出すところで、それで彼女は研究を続けることができた。日本だったらたぶん、誰からもお金はもらえずにポシャっていただろう。研究にはそういうことが往々にしてある。役に立つか役に立たないかということは、結局はやってみないことにはわからない。

睡眠覚醒を制御する神経伝達物質「オレキシン」の発見者の一人である柳沢正史博士は、次のようなことを言っている。余談だが、彼とは『ホンマでっか!?ＴＶ』（フジテレビ）で共演したことがある。

アメリカでは、誰が見ていてもお金が集まるような研究者に対しては、公的なお金はあげなくてもいいということになっている。日本の「選択と集中」とは真逆のような話で、たとえばノーベル賞を獲った研究者であれば、もうお金はいくらでも自力で集められるのだから、そこへ公的なお金をつぎ込む必要はないという考え方をするのだ。

しかし日本はそうではなく、ノーベル賞を獲った人にはものすごいお金が新たに研究費として渡される。だがノーベル賞を獲った研究というのは、もう結果が出た研究であり、その研究者にお金をあげてもほとんど意味がない。それよりはもっと若くて、海の物とも山の物ともつかない研究者に研究費をあげなければ次の新しい研究成果は生まれてこない。だが日本では、すでに素晴らしい研究成果を残していて、相当に名を成した人に公的なお金をつぎ込む傾向がある。

素晴らしい研究結果を出していて、民間からファンドが集まってくるような人にさらに公的なお金を出すのは「間違っている」と柳沢は言っていて、私もその考えはよくわかる。

ちなみに彼はノーベル賞候補にも名前が挙がっているが、すでにアメリカ国籍を取得しているので、厳密に言うと今現在は日本人ではない。

「教育格差」を放置する日本政府

経済協力開発機構（ＯＥＣＤ）加盟国の統計によると、大学の学費が世界でもっとも高いのがアメリカで、日本はそれに次ぐ第２グループに位置している。だが日本政府による大学教育への財政支出の割合は最低レベルであり、大学教育に対する家計の負担割合はかなり大きい。２０２２年度の日本の高等教育費に対する家計の負担割合は52％である。ＯＥＣＤの平均は22％だから、日本の負担割合は世界標準の倍以上ということになる。

　最近では「富裕層の子供でなければ東大には合格できない」といったことが盛んに言われていて、東大生の親の6割以上は年収１０００万円近いとする統計もある。厚生労働省によると、２０２２年度の日本の平均世帯年収が５４５・７万円というから、親の所得水準が相当高くなければ東大に合格することはできないことになる。

　多くの人はこの数字を見ても、「それは当たり前のことだろう」と思うのかもしれない。生来の天才児でダントツに勉強ができるのであれば、塾も家庭教師も必要ないかもしれないが、一般的には、どのくらい教育に投資したかによって子供の学力が決まることは、今の日本の常識になっている。

　学力以外の能力や社会的な活動を評価するとされる総合型選抜（旧ＡＯ入試）も、習い事や海外留学などの経験を重ねているほうが明らかに有利になるのだから、これもやはり親の年収が大きく関わってくる。

一方、貧困層の子供となると大学の受験料の負担すらバカにはならない。大学入学共通テストは３科目以上で１万８０００円。国立大学の二次試験が１万７０００円。私立大学の受験料は３万５０００円前後になり、これを何度も払っていくつもの学校を受験できる家庭のほうが少ないのではないか。

受験の機会が多いほうが合格の可能性が高くなるのは当然のことだし、これほど受験費用が高くなると平均的な家庭の子供でも、実力以上の大学受験に挑戦することはままならない。

日本では、この高額な受験費用が当たり前とされているが、大学の学費では日本よりも高いアメリカは、受験料（出願料）については５０００〜１万５０００円程度である。それに比べて日本の受験料がいかに高いかがわかるだろう。

しかし、あまりにもお金がかかるからといって大学進学を諦めてしまうと、親と同様に経済的弱者の道を歩むことになる可能性が高くなる。大学進学率が50%を超える今の日本社会では、大卒であることの価値自体はあまり高いわけではないが、国民全体の学歴が底上げされているだけに、中卒や高卒の学歴だと社会の低層に沈んだまま浮かび上がれないことも多くなってしまう。

退職金まで含めた生涯賃金は、厚生労働省所管の独立行政法人「労働政策研究・研修機構」が発表する「ユースフル労働統計２０２３」によると高卒男性が２億６０２０万円、大卒男性が３億２０２０万円というから、実に６０００万円ほどの差がつくことになる。この差は歴然であり、それぞれが子供の教育にかけられる費用は大きく違ってくる。そのため「格差の再生産」が起こり、学力の格差は埋めようのないまま、さらに拡大していくことになる。

このような格差があるにもかかわらず政府が教育格差の是正に消極的なのは、指導層が国民に対して高いレベルの学力を求めておらず、「読み書きそろばんができる程度の労働者がたくさんいれば十分だ」と考えるようになったせいだと、私は考えている。

税金を使ってまで大学に通わせて、それなりに教養のある知識人を増やしたところで、政府の政策にいちいち文句をつける反政府分子になるだけだ。だったら学費を高くするなどして、中卒や高卒の賃金が安く済む労働者を増やしたほうがいい――政府はそんなふうに企んでいるのではなかろうか。

失敗した人にやさしくないシステム

今の日本では、親の経済格差などの社会的な状況が子供の行動を規定しているところがあって、それで「親ガチャ」などという言葉が生まれたりもするわけだが、実際に自分の努力だけでは巻き返しのきかないことが多々ある。

受験で頑張って浪人をして意中の大学へ入ったとしても、浪人したことがネックになって、逆に就職が難しくなるということもいわれている。だから、いくら大学入試で頑張るといっても適当なところでうまく折り合いをつけなければならない。今の日本ではストレートで大学に合格して、ストレートで卒業した人がいちばん優遇されて、そうでなく苦労をした人はなんとなく優遇されないシステムになっている。努力をする過程よりも「事故」がなくスムーズな人生を送ることのほうが大事だと言っているわけだ。

私は大学の修士課程（マスター）の際に奨学金をもらったのだが、マスターから博士課程（ドクター）へ行く間に1年間だけ研究生をしていた。すると経歴がつながっていないということで「マスターの奨学金を返せ」と言われた。ドクターの奨学金はドクターコースを出たあとに就職をしたことで返さなくてもよかったのだが、マスターからドクターの間は「就職」ではないのでマスターの奨学金は返せというのだ。山梨大学時代の同僚はマスターからすぐにドクターまで行っていたので、まったく奨学金は返さずに丸々もらったと言っていた。

日本のシステムは、このように途中で失敗した人、あるいは経歴に途切れのある人にとって、まったくやさしくないシステムになっている。

高校受験「内申点」重視の弊害

最近の高校受験では教師の内申点が重視されるということを聞いた。つまり、教師の言うことを聞かない生徒は、中学の時点で〝パージ〟されるということである。そうなると、なんにおいても目立たないようにという感性が染み付いてしまうことになる。みんなで仲良くし、場の雰囲気を読み、突出したことはせず、いつもニコニコ笑っているという人は「優等生」だと言われて、協調性のない変なことをやる子供は中学の時点で弾《はじ》かれてしまうわけだ。

そうなってくると日本においては、ギフテッド（平均より著しく高い知的能力に恵まれた子）と呼ばれるような子供たちが、その能力を発揮する機会が失われてしまうのではないか。

こんなところからも、今の日本の教育体制のダメさ加減が見えてくる。ゆとり教育などといわれた教育改革もまったく成果を出すことはなかった。仮にこれから効果的な教育改革がなされたとしても、その成果が出てくるまで時間はかかる。その間に日本が終わってしまうかもしれない。

教育改革などといって改悪を繰り返してきた文科省の罪は大きい。文科省は教師たちの創意工夫ということを認めず、すべて文科省の言うとおりにやれというシステムにした。そして教師も文科省のいいなりになった。教師は自然と「上の言うことを聞く」ことが当たり前になり、生徒に対しても「先生の言うとおりにやれ」となってしまった。その成れの果てが今の教育システムなのである。

よほど才能のあるものすごい天才児は別としても、普通の生徒は教師の言うことを聞かないと内申点が悪くなるから、いい高校へは入れないというようなことになっている。

大学受験に関してはまだ今のところ、トップクラスの学校であれば内申書などは見ていない。学校によって内申点の基準も違うのだから気にしていないのだが、これで大学も内申書重視ということになり、高校でも教師の言うことを聞かないとレベルの高い大学へは行けないとなってしまうと、もう本当にどうしようもなくなってしまう。

長期的戦略が描けない政府と企業

政府が国民の幸せなど考えず、目先の利益を守ることしか考えていないことは、いわゆる移民政策などからも見て取れる。経団連は「新成長戦略」として、２０３０年までに外国人労働者を積極的に誘致することを訴えていて、政府はそれに沿った政策を次々と打ち出している。

たしかに、これからの日本は労働人口が少なくなって、今のやり方を続けている限り、労働力は不足することになるだろう。将来的にはＡＩを搭載したロボットが仕事を担うようになって労働力不足を補うようにもなるだろうが、すぐにできることではない。とりあえずここ5〜6年の間は労働力が不足することになる。それに対処するための手っ取り早いやり方として、外国からどんどん移民を受け入れようということなのだが、大量の移民が入ってきたときには何かと面倒くさいことになるのは、欧米の現状を見れば明らかだ。

日本でも大量の外国人労働者を受け入れることになれば、まず日本人の職が奪われることになる。また、日本とは生活習慣の異なる外国人が増えれば、それに伴うトラブルも確実に増加することになる。

そうすると、今度は外国人排斥を掲げる極右の政党が出てくることは、ヨーロッパ各国や、「アメリカ・ファースト」を掲げるドナルド・トランプが支持を集めるアメリカの状況を見ても明らかで、深刻な分断が生じることにもなるだろう。

これに対し、れいわ新選組代表の山本太郎などは、外国人労働者の増加が日本人の給料が下がることにつながるとわかっているので、入管難民法改正や技能実習制度には明確に反対し、「外国人奴隷労働者枠拡大だ」などと言って、新たに外国人労働者を入れることにはポジティブな考えを示していない。

しかしながら、岸田政権や経団連の「外国人労働者を増やしたい」という思惑に反して、今はどんどん円が安くなっているので、外国人が日本へ出稼ぎにくることのメリットがなくなってきている。一時期は繁華街のコンビニや居酒屋などで数多く見かけた中国人の従業者もどんどん減ってきている。フィリピンも近年は国力が上がってきたのだろう。フィリピン人の従業者も以前ほどは見かけなくなった。

今はベトナム人やネパール人、ブラジル人などの比率が増えているようで、そのあたりの国は、まだ経済状況がかなり悪く、日本へ出稼ぎに来てもメリットがあるのだろう。しかし、それもいつまで続くかはわかったものではない。そうして外国人労働者からも見放されたときには、日本政府は一体どうするつもりなのだろうか。

企業側は日本人を働かせるにしても、人件費を下げるしか利益を上げる方法がな

いため、正社員はなるべく減らし、派遣労働者を増やすことで短期的に儲けること
ばかりを考えている。そして賃金の安い派遣労働者を増やすためには、教育に力を入れても仕方がないということにもなってくる。

アメリカの言いなりという無責任

戦後、日本の政治権力は国民の幸せよりも、目先の儲けのことしか考えてこなかった。戦禍からの復興期であれば、たしかに目先のお金も大切だったが、国家の未来を考えたときに、それだけでは通用しないことは明らかだ。

しかし政治家たちの頭の中には国家百年の計など一切ないようで、戦後からずっと日本はアメリカの属国になるという選択を続けている。

現在の政権与党に「アメリカに対抗せよ」「アメリカの支配から独立せよ」と主張するような人間は皆無である。保守や右翼を名乗って現政権を支持する人たちも、本当に日本のことを思う気持ちがあるのなら「日本はアメリカから真の独立を果たせ」「日米安全保障条約など破棄して軍隊を持って自主防衛すべき」というのが本

筋だと思うのだが、いわゆる右寄りの人のほとんどはアメリカを批判することはない。その一方で中国や韓国の悪口を言っている。

そのような人たちは２０２４年11月のアメリカ大統領選挙で、ドナルド・トランプが当選したときにはどうするつもりなのだろうか。もしトランプが大統領になれば、すべての政策が変わることになるだろう。

たとえばエネルギー政策では、トランプは前政権時に国際的なCO_2削減の枠組みであるパリ協定から離脱しているため、今回も同様に離脱する可能性は高い。そのときには日本も追随するのだろうか。

２０１９年にトランプがパリ協定から離脱を通告したときは、直後にトランプが落選、ジョー・バイデンが大統領に就任しパリ協定に復活したこともあって、日本はアメリカの後追いをしていない。

だが温室効果ガスの問題というのは、実際のところ利権の話でしかない。アメリカは自国内に天然ガスも石油もたくさんあるから、世界的な枠組みに従ってCO_2を減らすとか、そんなことはしなくても問題ない。しかし日本は今のところ、化石燃料系のエネルギーをほとんど自前で持っていないため、その意味ではＥＵ諸国と似た立場にある。だからこそ「化石燃料に頼らない自然エネルギーで金儲けをしよう」と考えている人間が、政権内にもたくさんいる。トランプがそんな自然エネルギーに背を向けたときに、日本はアメリカと目先の儲けのどちらを選ぶのだろうか。

トランプにあって日本の政治家にないもの

トランプが大統領として頭がいいか悪いかはわからないが、貧困労働者層など一部のアメリカ人からとても人気が高いことは確かである。攻撃的な裁判をいくつも起こされていて大変な状況にあることには違いないが、その裁判を梃子《てこ》にして大統領選を戦おうという戦略を採っているようにも見える。「俺はこんなに苦労をしていても、君たち国民のために頑張っているんだ」というストーリーをアピールしているようで、それ自体は実にうまいやり口だ。

本来トランプは実業家としてお金は持っているし、儲けるためだけならば大統領などにならないほうが賢明だろう。それでも大統領になろうというからには、トランプなりに何かやりたいことがあるに違いない。本来、政治家になろうという人間はそういった意思を持っているはずで、それが見られない日本の政治家たちがおかしいだけだ。

おそらくトランプは、第一次世界大戦よりも以前にアメリカが掲げていた「モンロー主義」を復活させたいのではないか。

モンロー主義とは、「アメリカは自分たちの国だけのことをやって、世界のことなどは知ったことではない」という一種の鎖国政策のようなもので、かつてのアメリカはヨーロッパ諸国に対してそういう態度を取っていた。それが、第二次世界大戦が終わってからは、世界のあちらこちらにちょっかいを出し、世界中を舞台にして戦争を繰り返した。そのように世界の警察を自認するようになったのは、第二次世界大戦後の80年前ぐらいからの話である。

それ以前のアメリカは、世界情勢に背を向けて「自国には資源もあるし、農業も盛んで、アメリカ国内だけですべてのことを回していくことができるから、他の国にちょっかいを出しても仕方がない」という考えが強かったのだ。

グローバリゼーションの時代になって国家の利益が他国と複雑に絡み合う現在は、アメリカ単独でやっていけるということでもなくなっているのだが、トランプの「Make America Great Again（アメリカを再び偉大な国に）」という言葉の裏には、モンロー主義の時代に戻ろうとしているふしがあるように見受けられる。

おそらくトランプが大統領になれば、現在ロシアと戦っているウクライナへの資金援助もやめてしまうだろう。イスラエルとハマスとの戦いについても、どちらか片方を支持することはなく、中東問題から手を引くことになるのではないだろうか。

「もしトラ」で日本が潰される!?

では、もしトランプが米大統領に復活したときに世界はどうするのか。ロシアのウラジーミル・プーチン大統領は、トランプが大統領になることを想定してトランプに近いと目されているジャーナリストからのインタビューを受けるなど、さまざまな形でアプローチを仕掛けている。それでアメリカによるウクライナへの支援がなくなれば、ロシアのほうが軍事力では圧倒的に上回るのだから、すぐにキーウは陥落してウクライナがロシア領になることも十分に考えられる。

今のロシアは国際社会からすごく嫌われているのだが、そうは言っても自国内に天然資源はたくさんあるから、トランプのアメリカと同様に自国第一主義を採用することは可能だろう。ＥＵ諸国は一時期ロシアの原油や天然ガスを買わないことでロシアを制裁しようとしたが、ロシアはその裏でインドや中国にたくさん売って戦争を続けるだけの資金を新たに蓄えている。今のロシアは石油と天然ガスを売って、それで得たお金を軍事産業に回すことで儲けようとしている。つまりロシアの経済というのは、ほとんど軍事産業によって成り立っているのだとも言える。

そんななか、アメリカがウクライナ支援から手を引けばどうなるのか。これはこの先、中国とロシアとアメリカの3極がどうなるのかという話でもある。ロシアは国際社会から孤立しようともお金が儲けられればいい。戦争が終結すれば、ロシアから安い石油と天然ガスを買いたいという国がいっぱいあるわけだから、トランプ大統領の誕生はロシアにとって、かなり有利なこととなりそうだ。

では、そうなったときに日本はどうするのか。トランプ大統領のアメリカとは、どのような外交をしていくのか。岸田首相はトランプが大統領になる頃にはおそらく首相の座を降りているのだろうと予測される。ただ、仮に政権が続いていたとしても、岸田は何かしらの確固たる考えを持っているようには見えないので、トランプからは「信念のない政治家」としてバカにされるのではないか。

安倍晋三元首相はトランプと仲がよかったので、存命だったならばなんとかうまく関係をつなげることもできただろうが、他の自民党議員となると岸田以外の誰であっても、かなり心もとない。

トランプはとりあえず、アメリカ・ファーストということで日本に対していろいろな要求をしてくるのだろう。その点はバイデンも同じではあるが、いま以上に「武器を買え」「もっと金を出せ」と言ってくるのではないか。それに対して日本が独自の戦略を採ることができるのかというと、なかなか難しそうだ。戦後ずっとアメリカに従ってきたように、結局はトランプ大統領のアメリカにも追随していく以外の考えを持つことはないように思う。

自民党の旧統一教会問題でわかったこと

　２０２４年初頭からマスコミによって俎上に載せられた自民党の裏金問題だが、これなども国家戦略とはまったく関係がないことである。国家や国民とは関係のないことばかりを自民党は党を挙げてやっていたわけだ。考えているのは「自分が次の選挙でどうやって当選し、党内でどう力をつけるか」ということだけで、国家をどのように運営していくかということは、誰も考えていないのだろう。

　自民党が掲げている政策にしても、憲法改正（改憲）やＬＧＢＴ法案の歪曲などに関しては、旧統一教会の意図が絡んでいることは誰の目にも明らかだ。

　１９７０年代からずっと自民党の代議士たちは旧統一教会に支援をされてきた。選挙スタッフとして信者をボランティアで出してもらったり、実際に信者たちの投票行動で当選した議員がいることもわかっている。おそらく自民党議員の多くにとって、憲法を変えようとか、ＬＧＢＴに反対しようということは、どうでもいいのではないだろうか。自分が当選して議員になることだけが最優先であって、憲法や同性愛者がどうなろうと自分たちには関係がない。

だから統一教会から「ＬＧＢＴはなるべく優遇しないようにしてくれ」と言われれば、それに従う。「憲法を改正してくれ」と統一教会に言われれば、自分たちの利益とは関係ないのだから「はい、改正します」と言ってきた。

自民党は２０２４年３月の党大会で、憲法改正について「本年中にわが党の党是である憲法改正実現のため、国民投票を通じ、主権者である国民の判断を仰ぐことを目指す」との主旨を記したというが、これも本気で言っているかどうかわからない。岸田政権の支持率が下がり続けている時期に憲法改正の動議など出そうものなら、自民党がひっくり返ってしまう可能性があるから怖くてできないのではないか。

だからしばらくは憲法改正ではなく、それに代わるような法律を複数成立させ、実質的に憲法を骨抜きにしようというような戦略を練っているのではなかろうか。それをなんのためにやるのかといえば、自分たちの利益のためにやっているだけであり、そこに国家戦略や高尚な理念などは一切ない。

国のことを第一に考えるのが政治家

もっとも国のことを一所懸命に考えている政治家は誰かというと、独裁国家の独裁者だ。北朝鮮の金正恩やロシアのプーチンは自分自身が国家みたいなものだから、金正恩なら北朝鮮が潰されないように自分はどのような立ち位置で何をしたらいいかと真剣に考えている。戦略的に核兵器を持ったほうが有利になると思えばそうするなど、ある意味、常に命懸けの選択をしている。

プーチンにしても、それが正しいか誤りなのかは別にして、ロシアが潰れないことが最優先で、ロシアが存在感を示すためには戦略的にどうしたらいいかということを真剣に考えた結果として、ウクライナ侵攻を決断したわけだ。

このように考えたとき、日本はどうかというと、かつて国家の未来像を真剣に考えていた政治家や軍人たちはいた。たとえば石原莞爾は、第二次世界大戦の前からはっきりとした国家観を持っていて「最終的に日本が国力を蓄えて東洋の盟主になってからアメリカと戦争をする」という戦略を立てていた。ところが軍部が暴走し、勝てるあてのないアメリカとの戦争に突っ走った。石原は「今、こんな戦争をやったところで負けるに決まっているからやめたほうがいい」という考えをずっと主張し続けた。

アメリカと開戦する前の日本政府は将来の展望もなく、石油不足という目先の窮状をなんとかしなければいけないという理由だけで、ズルズルとアメリカと戦争を始めてしまって、引くに引けなくなった。それで負けてどうなったかといえば、アメリカに占領されて、今度はアメリカの言いなりになった。

ところが日本は戦後しばらくの間、とてもいい立ち位置にあった。米ソによる冷戦状態となり、中国はまだそれほど力がなかった。アメリカとしては日本をサポートすることで、いわば日本を対ソ連の盾にしようとした。そのためアメリカは日本が国力や経済力を上げることを容認していた。日本は軍備を調《ととの》えなくてもアメリカが肩代わりをするから、経済でとりあえず儲けてくれというような状態がずっと続いて、日本はそれに乗っかっていればよかったのだ。

当時の日本の首相たちも、とりあえずその戦略で10年、20年くらいはもつだろうということがわかっていたので、おとなしくその方針を続けることになった。吉田茂にしても池田勇人にしても、一応の国家戦略としては日本が経済大国になることを最大の目標に据えて、そのためにも、とりあえず今はアメリカの言うことを聞いておいたほうがいいだろうという戦略的な判断があった。

そのような判断から吉田茂は（旧）日米安全保障条約に調印したし、池田勇人は所得倍増計画を打ち出した。いずれも経済を一番に考えようという当時の判断であり、そのときに憲法を改正しようとか、軍事を増強しようとかいうことは、あまり考えていなかったはずだ。経済大国の実現という視点で10年、20年の戦略を立てていたのだ。

その場しのぎか自己利益の実現しか頭にない

そうした国家戦略で日本の政治がずっと続いてきたのだが、１９９０年代に入ると、このままでは日本の経済が立ち行かなくなるということが明確になってきた。そのときに政治家たちが何を考えていたかというと、国力を上げることではなく、とりあえず政治家自身が生き残るためには何をしたらいいかという短絡的な思考だった。その具体例が竹中平蔵と小泉純一郎がやった構造改革である。

竹中&小泉による構造改革とは煎じ詰めて言えば、国民は貧乏になっても構わないから立法府の人間と一部の大企業だけが生き残るためにはどうしたらいいかという改革である。このときから、国家全体のためのものであったはずの政治経済は、国の指導者たちのものへと歪曲化されていったと思う。

ある政策によってこの先、日本という国がどうなるかということは考えない――。それが１９９０年代の半ばから２０２４年までずっと続いている政治家の特徴の一つではないだろうか。

国家運営について考えていないわけだから、とりあえず現状どおり、アメリカに追随するというのがまずあって、それに反対するということは端《はな》から選択肢にない。国力を上げるという選択肢もない。ただ単に、自分たちが今いちばん儲かるためには何をしたらいいかということのためだけに政治が行われるようになってしまった。政治家も自分のことしか考えなくなり、国家に関する哲学がまったくないような人間が集まって、自分たちのための政策決定をしている。

そんな政治家が国際政治の場へ行って、プーチンやトランプに太刀打ちできるわけがない。EU諸国やブレグジットを決断したイギリスにも、それぞれに国家的な戦略がある。ウクライナでの戦争に対するスタンスについて言えば、イギリスのボリス・ジョンソン元首相はウクライナを支援することがイギリスの国家的利益にかなっていると明言した。これはジョンソン元首相が自分なりにイギリスという国の将来を考えたときに、彼なりの国家戦略、国家観があっての発言なのだろう。

それに比べて日本は、西側諸国がウクライナへ支援しろと言うから仕方なくお金を出しているようにしか見えない。ウクライナを支援することが日本の国益的にどういう意味をもつのか、また外交上での戦略が何かあるのかといえば、とくに何もないのだろう。自分たちがとりあえず儲けることしか考えていないわけだから、長期的な国家戦略を持っていないし、考えてもいない。

財務省が「ザイム真理教」といわれる理由

『ザイム真理教――それは信者８０００万人の巨大カルト』（フォレスト出版）と

いう本を書いた森永卓郎は、言うことがコロコロと変わるところもあるのだけれど、彼が今の財務省を批判していることについては概ね同意できる。

　財務省は大蔵省の時代から変わらず前例踏襲主義を続けてきた組織である。前例踏襲を金科玉条として昔ながらの経済政策に拘泥《こうでい》し、いくら世界の情勢が変化しようとも同じやり方を続けようとしている。

　今は新たな経済理論もいろいろとあり、たとえばＭＭＴ（モダン・マネタリー・セオリー＝現代貨幣理論）などというものは、これまでの財政の常識を一変させる可能性を秘めている。

　これまでの国家の財政は、「税収を主な歳入とし、それを原資に予算を組む」というやり方をしている。これは日本だけでなく他の多くの国でもそれがセオリーとされてきた。税収頼みだから、財政が赤字になったら収入を増やすために税金を上げなければならないということになる。

　これに対してＭＭＴでは「税金は国の収入として考えるものではなく、過度にインフレが進めば抑制のために増税し、デフレ傾向になれば減税するというように、インフレを調整する役割のもの」「歳出に関しては、国には通貨発行権があるのだから、どんどんマネーを刷ってそれを充てればいい」というようなことを言っている。

このＭＭＴを実際に採用した国はまだないので、実際にやってみたらどうなるかは未知の領域である。しかし、財務省では「ＭＭＴのようなやり方はどうですか？」と言っただけで、おそらくその人物はパージされることになるだろう。だからそんなことは言えるはずがない。しかし、結果がどうなるかは、やってみないことにはわからないというのも確かである。

消費税にしても、歳出のための予算が足りないから導入され、段階的に税率を上げてきたわけだが、たしかに財政的な視点で言えば歳入（税収）は増えるだろう。プライマリーバランス（基礎的財政収支＝歳入と歳出のバランス）が赤字だから税金を上げなければいけないとなったときに、いちばん手っ取り早い方法として消費税を上げるということを財務省は続けてきたし、この先も消費税を上げたいと考えているのだろう。

しかしこのとき、消費税を上げたことによって日本の経済がどれだけ落ち込むかというような検討は、おそらくまったくしていないのではないか。たとえ検討されたとしても、それが重要なこととは捉えられていないのではないか。財務省にとっては目先の歳出と歳入の財政バランスだけが問題なのであって、景気がどうなるかは「管轄外」と考えているはずだ。

木を見て森を見ず。国民のことを考えることなく、プライマリーバランスの黒字化に拘泥し続ける財務省はまるでカルトである、と森永は指摘しているのだ。

前例踏襲という官僚の本能

財政のバランスを取るということであれば、スーパーコンピュータを使っていろいろなシミュレーションをすれば済む話である。それだけならば財務官僚などいらない。国家としての大切なことは、財政のバランスではなく景気の上昇である。そして今まで消費税を上げた際には、必ずその後に景気が落ち込んでいる事実がある。

消費税を10％から15％に上げたなら、長期的にどうなるかということは、これまでの結果をもとにしてシミュレーションをしてみればわかることである。また消費税を上げなかった場合と、下げた場合とで景気はどうなるのか。これまでに消費税を下げたことがないからこそ、そういうことを一度やってみればいいのである。どうせこれまでどおりの財務省のやり方で消費税を上げ続ければ景気が悪くなることはわかっている。だったら、たとえば10％の消費税を7％に下げたときに景気がどうなるのか、2年間などの期限を決めて試行し、その結果を以後の経済政策に反映させていけばいい。

だが財務省は、消費税を一回下げてみたらどうかということを考えすらしない。そういうことをやろうとするパトスとか根性のある人がいない。これが官僚システムの本能であり、最悪の部分でもある。新しいことをやって失敗することが、彼らにとって最大の悪行なのだ。

もしも、これまでと違うやり方をしてそれでうまくいかなかったら自分の責任になるだろう。今までどおり、教わったとおりにやってそれでうまくいかなくても自分の責任にはならない。自分は決まったやり方のなかで最良を尽くしているのだから、それでいいのだと彼らは考える。

もしも、やり方をガラリと変えてうまくいかなければ、パージされて閑職に追いやられる危険性が高い。だから新しいことを考える人がいたとしても怖くてできない。

日本の官僚システムは第二次世界大戦の頃からずっと変わっていない。新しいことをやらずに、今までどおりのことをずっと続けるだけだ。だから戦争で負けそうになっても「もっと戦線を拡大することで敗色濃厚な現状を打開しよう」というような結論しか出ない。不利なときに兵力と資源、資金の消耗を防ぎつつ戦線を縮小するなり撤退するということは、上官の命令がない限り考えようともしない。

その結果、ただひたすら戦線を拡大していって、最後にはインパール作戦に代表される無謀な作戦を遂行することになってしまった。そのようなかつての日本軍の姿と今の日本社会が似ているように思えてならない。

ひたすら消費税を上げるなどというのは、私に言わせれば、ほとんどインパール作戦と同じだ。最終的にクラッシュを起こして二進《にっち》も三進《さっち》もいかなくなるだろう。

第二章　目先の利益しか頭にない人々

竹中・小泉「構造改革」の悪影響

　このところの日本では、「今この時点においてもっとも短期的に儲ける」ことのできる人間がいちばん賢いという、一種の偏見が蔓延している。

　これは竹中平蔵と小泉純一郎が「構造改革」を行った頃に始まった考え方だ。会社が赤字で「その赤字を解消するにはどうしたらいいか」となったときに、いちばん簡単なのは人件費を減らすこと。つまり、正社員を減らすことだ。減った社員の分は非正規雇用者を増やして対応することで人件費は安くなるから、当面の危機的状況をしのぐことは可能になる。

　たしかにそうやって赤字を減らせば、しばらくは儲けが出るのかもしれない。しかし、日本中の多くの企業がそれをやってしまうと、合成の誤謬《ごびゅう》（個々人が正しいと思って取った行動が、みんなが同じ行動を取ることで社会的な状況を悪化させてしまうこと）が起きてしまう。

　正社員より給料が安い非正規雇用者が増えれば、当然、社会全体の購買力は落ちることになる。それはつまり、別の会社のつくった商品やサービスを利用していた顧客の収入が減って、購買しなくなるということである。こうしたことが積み重なっていけば、そのうちに日本全体で物品が売れなくなり、景気は悪化していく。

そして企業が「売れないから」という理由で値下げをすれば、値下げをした分をさらに人件費削減で補うことになる。正社員であっても、景気が悪くなって会社の収益が落ち続ければ、いつまでも同じような待遇ではいられない。明日にも減給やリストラの対象となるかもしれず、そんな状況では将来設計もできないから大きな額のローンなどは怖くて組めない。余計な買い物もできず、少しでも貯金をしようとして、さらに財布のヒモは固くなる。

いわゆる〝失われた30年〟の間、日本の多くの会社でこのようなことがずっと繰り返された結果、日本はデフレスパイラルへ陥っていった。

そうなったとき、問題解決のためにどうにかするのが政治の役目である。個々の会社の利益や個々人の賃金が総体としてベストの状態になるように経済対策を政府が実施していくわけだ。正社員を全従業者の何割以上にしなければいけない、非正規社員はなるべく雇わないようにするなどの対策が考えられる。そのような「たが」

をはめることによって、国全体の景気を沈下させないようにしていく。政府には本来、そういう役割があったはずなのだ。

ところが竹中・小泉路線が始まってから、政府はその役割を放棄した。それどころか政府は「雇用の流動化」などといってリストラを応援するようなことをやり始めた。これもまた日本の景気低迷の大きな原因の一つとなった。

「コンサル」が東大生の人気就職先に

ここ数年、東大生の就職先として、マッキンゼー・アンド・カンパニーなどの外資系コンサルタント会社が人気なのだという。

かつて東大の法学部では、主席で卒業した学生は日本銀行へ入り、次席は大蔵省（現・財務省）へ入るというルートがだいたい決まっていたそうで、三島由紀夫も次席で卒業すると大蔵省に入省している。三島は1年もしないうちに執筆に専念すると言って退職したのだが、ともかく東大を卒業した優秀な学生は、官僚になるものと相場が決まっていた。ちなみに、そのとき首席で卒業したのはいいだもも（飯田桃）で、日本銀行に入行したが、まもなく結核で退職し、評論家として活躍した。
ところが最近では、東大生の官僚離れが進んでいるのだと耳にする。官僚は長時間労働の割に給料が少なく、このところの風潮として天下りもやりづらくなっていて、就職先としての旨味がないらしい。

それに代わって人気になったのがコンサルタント業というのだが、これこそ目先の利益を追求する極北の仕事だろう。その仕事内容は、コストパフォーマンスとタイムパフォーマンスを最適にするやり方を経営者に提案することである。最適というのが何を意味するのかといえば、「次の決算までに会社の利益を上げるとともに、株価を上げるための戦略を練ってアドバイスする」というようなことだ。

実際にやることと言えば、特別に変わった手法があるわけではなく、今あるデータを見て、それを分析していくことが中心だ。しかし、こういった類の仕事は将来的に、人間がやるよりもＡＩにやらせたほうが手っ取り早いし確実だということで、職業としてはなくなることも予想されている。今でも自分で調査や分析をするよりは、ＡＩにやらせたほうが効率的だという理由で、ＡＩの出した結論をいくらか手直して、それを顧客に見せているようなコンサルタントは多いのではなかろうか。

人気の職業とあって就職はかなりの狭き門のようで、おそらく群を抜いて優秀な学生が集まるのだろう。しかし、その優秀な人間というのは受験を勝ち上がってきた秀才である。彼らの優秀さとはＡＩが導き出す最適解を、自力でいち早く見つけ出すことに長《た》けている人たちだ。そうなると今後、優秀なＡＩが開発されたときには、この種のエリートは完全に不要となる可能性は高い。いくら今のコンサル人気が高いといっても、10年後にも職業として成立しているかどうかもわからない。

就活生であれば「コンサルは将来ＡＩに取って代わられるかもしれない」というような情報も当然知っているだろうが、それでもなおコンサルを目指すのは、給料が高いからだ。大手コンサルだと入社1年目から年収７００万円もらえるところもあるという。大卒1年目の平均年収は公務員でも一般企業の平均でも２５０万円前後というから、これはかなりの高給だ。そうしてみると、コンサルを目指す学生はその仕事内容だけでなく、自分自身の給料においても目先の利益を追求しているわけである。

最近では、プロのコンサルタントの思考法を開陳する内容の書籍が売れているという。これはつまり、コストパフォーマンスやタイムパフォーマンスがもっともいいやり方を、多くの人が求めているということなのだろう。「いちばん手っ取り早く儲かる方法はこれですよ」という話をみんなが知りたがっているわけだ。

しかしそのいちばん手っ取り早く儲ける方法というのが、いつまで長くできるかはわからない。簡単に真似のできるようなことならば、みんなが真似をして、すぐに儲からなくなってしまうだろう。

流行っているからといって、それを志向することは、私としてはあまりお薦めできない。

ホリエモンとひろゆきの戦略

堀江貴文（ホリエモン）や、西村博之（ひろゆき）などといった人たちが、今の中高大学生たちから憧れの存在として見られているという。彼らはいろいろなジャンルの論争で相手を言い負かす、いわゆる「論破」を得意としている。そしてそんな姿が若者たちの目には恰好よく、そして賢そうに映るのだろう。たしかに、ひろゆきの「それってあなたの感想ですよね？」などといった語り口は、中学生の屁理屈のようでもあり、若者たちと親和性が高いのは納得である。

この二人のストラテジー（戦略）には通底したものがあるのではないだろうか。彼らにはとにかく今の時点でお金が儲かればいいという哲学があり、その上でいろいろなことを語っているように思うのだ。

今、金儲けをするためにはどうしたらいいかを考えたとき、重要になるのが「政権に楯を突かない」ということである。よく見ていると、彼らは政権に楯突かない範囲内でちょっとエキセントリックな発言をする。なぜ政権に楯を突かないのかといえば、そうしないことにはお金が回ってこないからだ。

彼らのことを、まるでタブーなきオピニオンリーダーのように評する声があったりもするが、実際のところを見てみれば、二人とも政府とは仲良くやっているのが実態だ。ひろゆきはＩＴ関係で政府に助言をするなど良好な関係にあるし、ホリエモンも自身の事業に政府から高額の支援を受けている。

短期的に儲けるためにどうすればいいかと言えば、今の日本ならお金を持っている人におべんちゃらを言うのが一番だ。それも、普通の人が見たときに、お世辞を言っているとわかるようなあからさまなやり方ではなく、なんとなくシニカルな表現で、しかし、よくよく内容を吟味してみると、相手にとって不利でない内容になっているというスキームがベストだ。そしてそれを今もっともうまく使いこなしているのが、ホリエモンやひろゆきだと言える。

それによって彼らは実際に儲けているのだろう。しかし、彼らの発言で日本人や日本企業がいい方向に向かうというようなことは、まったくないと思う。今の大手メディアで文化人や評論家を名乗っている人のほとんども同様だろう。まるでステルス・マーケティングのようにして現政権が有利になるような発言をし、こっそり世論誘導をして儲けているのだから、日本にとって害悪と言ってもいいのではないかと思う。

芸能人が政治的発言をしない理由

ここ最近は年金と関連させるように、高齢者の医療費が問題視されることが増えているように思う。国民医療費の半分以上は65歳以上の高齢者が使用しているという実態がある。

今の政権はなるべく若い人と高齢者を分断させて、お互いに「あいつらのせいで日本がダメになるんだ」と悪口を言い合うような空気をつくりたいと考えているようだ。若い人には「年寄りのせいで日本がダメになる」と言わせて、高齢者には「いまどきの若いヤツらは情がない」と思わせる。そうして政権に批判の矛先が向かうのを避けようと考えているのではないだろうか。

だが高齢者による医療費や介護費用増加の問題は、高齢者のせいではない。自公政権が福祉政策や医療政策をうまく舵取りすることができなかったせいに決まっている。しかし、政府は自分たちが失敗したとは言いたくないから「年寄りの医療費がかかることが問題だ」ということにしたい。

こうした件について、年齢的にはもう50歳に近いひろゆきが、なぜか若者側に立って意見を言ったりしているのは何か奇妙な話だが、これも政府の意図を汲んでのものだと考えれば納得がいく。

　そうやって政府のご機嫌取りをすることで我が身の安泰を確保して、その上で世間一般の人々に聞こえのいいことを言ってお金を稼ぐ。お笑い芸人だったらそれでもいいだろう。落語家が噺《はなし》のまくらで「ご機嫌をうかがいます」とやるように、彼らは世間に望まれることをしゃべってお金を稼いでいるのだ。

　しかし、今のメディアに登場する文化人や評論家たちは、政府のご機嫌をうかがいながらしゃべっているくせに、まるで正論を語っているかのようにもっともらしい顔をしている。

　アメリカなどは歌手や俳優などの芸能人が政治的発言をすることも多いが、日本の芸能人はそれをしない。

　人気のことを考えれば、「右翼からも左翼からも叩かれたくない」のだろうが、とくに政権に楯突くような発言をして炎上でもしてしまえば、仕事がなくなると考える芸能人が多いのだろう。

その点でアメリカはバイデン大統領の悪口を言っても、トランプの悪口を言っても、民主党と共和党で国民の支持を二分しているような状況だから、どちらかに寄ったとしても食べていけるだけの市場がある。

しかし日本は、テレビなどのマスコミにお金を出している人や企業がそれほど多くない。彼らの機嫌を損ねてしまうと、広告に関連した仕事がなくなる可能性は高い。

私がテレビに出る際にも「この番組のスポンサーはこういう会社なので、その批判をしないでください」と言われることがよくある。たとえばお酒の会社がスポンサーなら「あまり飲むと健康を害しますよ」というようなことは言わないでほしいというのだ。私は毎晩お酒を飲んでいるのでそういうことは言わないけれど、そのようなスポンサーへの配慮は相当なものである。

では、そのスポンサーがどういうところなのかといえば、たいていは大企業であり、その多くは与党の自民党へ献金するなどして政権とつながっていたりする。今の日本は社会全体がそのようなシステムになっている。

アメリカだとマスコミ自体が、民主党支持と共和党支持で明確に分かれていたりするのだが、日本のマスコミは左派系の報道をしているように見えても、スポンサーなどお金の部分をたどっていけば結局、すべて政府に尻尾をつかまれている。だから与党の悪口を言っていると、金儲けということではまったく得なことがない。

エリートとは「自分の利益」だけを考える人

文化人や評論家を名乗る人たちの多くが自分の利益のことばかりを考えるのは、当然なのかもしれない。今の時代にエリートといわれるような人たちは、もともと受験戦争に勝ち抜いて、いい大学に入り、卒業すると官僚のトップになったり大企業に入ったりしている。そのような道を自らの意思で選択し、周囲との争いに勝ってきた人たちは、まさしく「自分の利益のため」だけを考えてきたわけだ。

ごく一部には「日本を救いたい」といったことを本気で思っている人もいるのだろうが、今の日本でそういうことを考えている人は、だいたいが落ちこぼれるかパージされたりする。そのような「自分なりの考え」は受験に必要ないからだ。

そしてエリートたちは、一見すると何か日本の悪口を言ったり社会を斬ったりしているようでも、政権の弱点に突き刺さるような肝心なことは決して言わない。それよりも「政治のことはよくわからない」などと言って無関心を装っている人のほうが「賢い」ということになっている。

一般の人たちも同じような価値観に染まっていて、テレビのバラエティ番組などでは、どんな仕事をしているかよくわからないような人でも「お金持ち」というだけでもてはやされている。誰がどれだけ儲けているかが価値判断の基準になってしまっているのだ。

私たちの若い頃は、あからさまに政権の悪口を言っていたし、お金に対しても執着が薄くて「貧乏でもいいや」という人が結構いたものだ。むしろ世間の潮流から外れたところで学問的な探求を続ける人のことを「賢い」と言っていた。今と昔では「賢い」ということの基準が違ってきている。

人生のタイムスパンをどこで区切るのか、というところも違ってきている。

これからの数年間で「稼げるうちに稼ごう」と言って金儲けに走り、その後でポシャったとしても「5億円ほど手元に残ったから、あとはそれなりに暮らしていけばいい」というような人が増えているように感じられる。

たとえば今ユーチューバーをやっている人などは、まさにそんな感じではないか。早いうちにお金を稼いで引退して、あとは悠々自適に暮らそうという考えを意味する「ＦＩＲＥ」という言葉が流行っているのも、いまどきの感覚なのだろう。

一方では、「仕事は一生ものだ」と考えて、お金は二の次で自分のやりたい道を進む人もいる。また10年後、20年後のことを考えて「あいつは過去にずいぶんとくだらないことをやっていたんだな」と思われたくないと、普段から堅実を宗とする生活を続けている人もいる。どちらを選ぶかは、人それぞれの判断だが、今は「ＦＩＲＥ」的な人のほうが、もてはやされている時代風潮があるのだろう。

ひろゆきやホリエモンなどは、昔と今で言うことが違っていてもまるで気にしない。2年も経てばみんな自分の過去の発言なんて忘れてしまうだろうと思っているからだ。矛盾を指摘されても「自分の考え方が変わっただけだ」と言って済ませればいいと考えているに違いない。今の社会で「賢い」と言われている人は、たいていがそういう戦略を採っている。

それはうまく世渡りしていることの原因でもあり、結果でもあるだろう。あるいは、もともと自分の核になる思想や研究があるわけではないから、しょっちゅう一般論的なことを言っているうちに木乃伊《ミイラ》取りが木乃伊《ミイラ》になってしまうということなのかもしれない。世論や政府の動向を見ながら話す内容をコロコロ変えているうちに、それがいつしか自分の本音とすり替わってしまうということもあるのではないか。

いずれにせよ、テレビやユーチューブのなかでいくら「賢い」といわれる人でも、中身はそんなものなのだ。「自分も彼らみたいに金儲けをしたいから」といって戦略的な意味で参考にするのであれば、そのやり方を真似するのもいいだろう。だが、その話の中身までも真剣に信じることはよしたほうがいい。

「賢い」人たちは引き際がよくわかっていて「このテーマにずっと首を突っ込んでいると、近々にひどいことになるぞ」と、突然に沈黙してしまうことも多々ある。

すると、その人のフォロワーたちは突然ハシゴを外されてしまう。しかし当人はしばらく沈黙をしておいて、次にはまったく別のことを言い始める。

ひろゆきにしてもホリエモンにしても機を見るに敏《びん》で、このようなふるまいが非常にうまい。しばらくやってみて、これはどうもそれほどたいして盛り上がらないとか、潮目が変わったと思えば、すぐにそこから離れて別のことを言い出したりする。昔に言ったことと今言っていることで辻褄が合おうと合うまいと、ほとんど気にすることもなく、今いちばんウケることを言って、それでとりあえずのお金が儲かればいいということでやっているように見える。

これは企業も同じだろう。今いちばん儲かる事業に投資をして、ある程度儲かったらまた別のところに投資をしていく。その結果として環境が悪くなろうと、世界情勢がどうなろうと、戦争が起ころうと知ったことではない。これが今現在、グローバル企業といわれる会社の論理なのだ。

SNSで「論破」したがる人々

「論破」というフレーズが流行っているようだが、論理的に考えたときには、いろいろな論点があるなかで「絶対に正しい」とか「絶対に間違っている」ということは、どちらもほんとんどない。

たとえば新型コロナワクチンを打つのと打たないのとでは、どちらがいいかという場合、ワクチンを打ってひどい目にあう人もいるし、なんともない人もいる。ビッグデータを取れば統計として「ワクチンを接種した人のほうが病気にかかりにくい」のか、「ワクチン接種の有無は発症と関係ない」のかは、はっきりするのだが、論破をする人というのはそういうデータは蹴飛ばして、自分の体験で話す（ちなみに新型コロナワクチンにはそのようなデータはない。政府の怠慢である）。

「私は打たなかったけれども新型コロナにはかからなかった。しかし友人は打ったのにかかりました」ということは、それはたしかに事実としてあるのだろう。そして、それを根拠にして「打ったヤツはアホだ」というような話をする。

その一方で「打たないで亡くなった人を何人も知っているから、打ったほうがいい」という人も当然いるだろう。自分の話だけをして、相手の話を聞かなければ、どんなことだって「こっちのほうが正しい」と言い張ることができる。

では、その正しいということが、どの程度のレベルで正しいのかということになると、ＳＮＳ上の議論で科学的な根拠に基づいた指摘をする声はほとんど聞かない。有意差のような細かいところまで解説した議論がＳＮＳ上でなされることはなく、「これはt検定をして何％の基準で有意です」といった話はまず見たことがない。ほとんどは自分の体験に基づいて「こっちのほうがいい」「こっちのほうが悪い」と言っているだけで、信じたい人はそれを信じるし、信じない人は信じない。

実際のところ、自分の信じたいことだけを選択的にピックアップして強引に言い張れば、どんな論であってもだいたいのケースで論破できるだろう。

論破をしたがる人というのは、自分の意見を通そうと思ってそういう議論をするわけだけれども、では、なぜそんな科学的になんの意味もないことをやりたがるのか。なぜ自分から論争を仕掛けてまで相手を言い負かそうとするのか。それはやはり、相手を論破することで「賢い」と思われることが、自分の得になるからだ。

得というのは、単に自分が「賢い」と思われることが気持ちいいということもあるだろう。また著名人の場合、論破をすることが自分の金儲けにつながるケースも多い。論破することで「賢い」というイメージを世間に浸透させることができれば、それをコメンテーターなどのタレント活動につなげることができるし、本を書けばいくらか売り上げもアップするに違いない。

ただ、いつもSNS上で論争ばかりをしているような人を冷静に見てみると、その時々によって、論点が一貫していないことも多い。もともと確固たる知識があるわけでもなければ、学術的な研究をしているわけでもないのだから、それは当然だろう。

たとえばホリエモンは新型コロナワクチンの接種に反対する人たちのことを批判して「ワクチンを打て、打て」と言っていた。その論拠としては「みんながワクチンを打てば集団免疫が形成されるのだから、自分がワクチンを打つことは他の人を助けることにもなる」「だからワクチンを打たない人間は利己的だ」というようなことを言っていた。

それはそれで一つの考え方であり、彼がずっとそういう主張をするのであれば、他人が文句をつけるようなことでもない。ところが、日経平均株価が史上最高値を記録したときに、参議院議員（当時）の須藤元気が自身のXで「資産効果は大企業や富裕層ばかり」「円安も相まっての株高による資産効果は大企業や富裕層ばかりで、投資に回す貯蓄の少ない庶民にとって恩恵は小さいです」「政府は足元の実質賃金低下の対策を早急に打たないといけません。豊かになるということは実質賃金の上昇ではないでしょうか」などと投稿すると、それを見たホリエモンは「文句ばっかだな。素直に喜べよ」と言うのだ。株価が上がれば景気がよくなって、そのうちに自分たちにも利益が回ってくるといった考えからの発言なのであろう。

しかし、その論点について考えてみると、株を買って儲けるというのはあくまでも自分が儲けるためのことであって、決して他人のために買っているわけではない。そうすると、株で儲けることを賞賛することは利己的なやり方を賞賛していることになるし、彼は利己的なやり方で構わないと言っていることになる。

株価が上がったといっても、その株を買った投資家たちは他の人のために株を買っているわけではなく、自分が買って株価が上がればうれしいということでしかない。金融市場が肥大化した現代では、株価は必ずしも実体経済を反映するものではない。日経平均株価が史上初の4万円を突破したといっても、現状は史上最高の好景気となっていないし、株高の影響が巡り巡って好景気をうながすことになるとも限らない。

だから実際のところ、株を買うだけの資金のある人だけが儲かっているという須藤の論は、大きく間違ってはいない。

つまり、株高とは株を買っている人間が儲かるという意味でしかなく、それは利己的な行為である。ということは、ここでホリエモンは「利己主義を追い求めるのはいいことだ」と言っているわけだ。金儲けに関しては利己主義を肯定しておきながら、その一方でワクチンの話になると利己主義はダメだと断罪して、少々自分に副反応などの不利があっても打たなければダメだというのは、明らかな矛盾だろう。

成田悠輔の「集団自決」発言は政府の本音!?

では、なぜ矛盾したことを平気で言うのかというと、ワクチンの場合は「ワクチンを打て、打て」というのが国の方針だったからだ。株価についても、「日経平均4万円を突破したところで景気とは関係ない」などと言えば、株価上昇を経済政策の成果としてアピールしたい政権の邪魔になる。だからホリエモンは株高を「素直に喜べ」と言うのだろう。

ホリエモンの場合、彼が手掛ける宇宙開発ベンチャーに政府が最大20億円を支援するという話もある。これは彼が政府の意向を支持することとバーターになっているはずだ。「ワクチンを打てと言ってくれたからお金を出す」というような直接的な取引ではないにせよ、もしも彼が普段から政権批判ばかりをしていたならば、同じように援助を受けられていたとは到底考えられない。

成田悠輔という人は、イェール大学のアシスタントプロフェッサーというから日本でいうと「助手」にあたるのだが、この人は「年寄りは集団自決しろ」みたいなことを言って大炎上してもなお、その主張を取り下げることはしていない。

そんな成田がメディアへの露出を増やしているのは、これもやはり政権が基本的に「老人に死んでほしい」というようなことを考えているからだろう。成田はそんな政権の言えない本音を代弁することが、政権のご機嫌取りになることをわかっているから、あえて批判を恐れずに、そのような過激な発言をしているのではないか。

普通に考えれば、集団自決発言だけであらゆるメディアから抹殺されても不思議はなく、それなのにちょくちょくテレビ出演を続けている。結局中止にはなったものの大手企業のＣＭ出演までしていたのだから、これを変だと思わないほうが無理な話だ。

私は普段から政権の悪口ばかりを言い、環境問題についても「太陽光発電はダメだ」「風力発電はアホだ」といったことを話しているのだが、なぜか『ホンマでっか⁉ＴＶ』には出演させてもらっている。しかし他の番組となると、以前に出演したようなものでも、このところはほとんど声がかからなくなっている。

自分が儲けることを考えるなら、「太陽光発電はいいですよ」「風力発電もいいですよ」と言っているほうがプラスになるに決まっている。太陽光発電も悪いことばかりではなく、いいところもあって、そのいいところだけをフレームアップすれば「太陽光発電は素晴らしい」というようなお話をつくることもできるし、そこは匙《さじ》加減次第でどうにでもなる。しかし、多くのデータを分析した結果、太陽光発電はＮＧだとわかっているのに、節《せつ》を曲げることはできない。これは、学者としての矜持の問題だ。

誰でも簡単に論破するための技術

論破する人というのは、自分の論点だけを大きくしておいて、他のことはネグレクトして話さない。だから全部を知っている人から見れば「何か適当にいいところだけ取り上げて話しているな」とわかる。

自宅の屋根に太陽光発電のパネルを設置した場合、設置費用などにかかった分の元を取るには7～10年くらいは設置を続けなければならないという。パネルの法定耐用年数は17年とされていて、実際の寿命は製品にもよるが一般的には20～30年程度といわれている。だから30年間、売電価格が下がることのないまま発電を続けることができれば、平均で年間6万〜7万円程度の収入になる。そうすると7万円×20年で、廃棄費用として10万円を差し引いても１３０万円の利益が見込める。だが、何かの不具合によって10年以内にパネルがダメになってしまえば、減価償却ができないことに重ねて、パネル廃棄費用分がマイナスになる。このように、太陽光パネルを設置した場合のプラスとマイナスを合わせてみれば、儲かるかどうかはかなり微妙なところだろう。

このときに、利益の部分だけを強調すれば「よくわからない投資をするよりも太陽光パネルを自宅に設置したほうがいい」という結論を導くことはできる。一般の人が儲かるかどうかは怪しいとしても、太陽光パネルを製造する会社や設置業者が儲かることは確かだから、そこを利点として主張することもできる。論としては賛成と反対のどちらも成り立つわけで、論破というのは、そのどちらかを強調するだけのことにすぎない。正しいか間違いかということとは別次元の話なのだ。

私としては個人の損得とは別に、太陽光発電の利点よりもパネルを廃棄した際の環境汚染、大規模設置した際の環境破壊などの問題のほうが大きいと考えている。

それでも太陽光発電を推進するというのが政府の方針であり、世界的な流れにもなっているので、そうすると私のようなことを言っている人間は、公的な議論の場に呼ばれることはない。

私とは逆に、太陽光発電推進とか、エコとか自然エネルギーとか言っておけば、お金儲けにおいて相当有利になる。マスコミで報じられる自然エネルギーに関するいろいろな人の意見を見ても、結局は政府と反対のことを言わないことが前提になっていて、明確に「賛成」と言わない人でも、「反対」とは言っていないことがほとんどだ。いかにも自分の意見を話しているようにしながら、絶対に権力には逆らわない。これが今の時代の「賢い」立ち回り方なのである。

なお、SNS上での論破の仕方というのはさほど難しいことでもなく、いくつかのパターンを覚えておくだけで、それなりの対応はできる。

一つは「相手の言うこととは逆のことだけを言う」というもの。たとえば相手が「もっと早くしろ」と言えば「拙速だ」と返す。逆に「拙速だ」と言われたならば「遅延行為だ」などと返す。そのように相手の言葉や行動と反対のことを言っておくだけで、それなりに議論の形にはなる。

「具体的なことには触れずに、一般的な真理だけを言う」というのも有効だ。実際にはなんの意味もないことだけれども、これを言っておけば相手はなかなか否定できない。「レッテル貼りをする」というのも、実際にネット空間ではよく目にするし、それなりに効果も高い。相手が何を言っても「ネトウヨ」「パヨク」「陰謀論者」などという、なんとなく嫌なニュアンスを含んだ定義のはっきりしない決めつけをしておけば、言われた側にそんな事実がなかったとしても、案外と反論しにくいものだ。

論破をしたところで実際にはたいした意味はないのだが、もしも自分が不当な批判を受け、反論しようとなったときには役立つだろう。

秀才・東條英機と天才・石原莞爾

第一章でも触れたが、「本当に頭がいいとはどういうことか」を考えるために、ここで再び東條英機と石原莞爾の話をしてみたい。

東條英機は典型的な努力型の秀才だった。2浪して陸軍士官学校へ入ると、卒業後はとにかくまじめに、与えられた職務をきちんとこなすことでどんどん出世して、いつの間にか首相にまで上り詰めた。終戦後の東京裁判では「真珠湾攻撃を指示した」とされたが、実際に構想を立て、攻撃を決断したのは連合艦隊司令長官の山本五十六だとされ、東條はたまたま、そのときに首相だっただけとも言われている。

そんな東條と激しく対立したのが石原莞爾だった。石原は学校での成績は抜群だったが、教官を罵倒したり授業をサボったりするなどの問題行動も多かった。軍務においても上官と対立することは日常茶飯事だったが、とてつもなく頭が切れるから重用せざるを得ないという天才型だった。

そんな石原が陸軍省の参謀本部第一部長だったときに、参謀長として上官になったのが東條だった。ひたすら慣例に従うだけの東條のことを石原は平気で「無能」呼ばわりして、これに激怒した東條は石原を関東軍参謀副長として関東軍へ左遷した。その後も両者の対立は続いたが、石原が病気を理由に関東軍を離れると、東條は太平洋戦争の開戦前に石原を予備役とした。実質的な引退勧告だった。

太平洋戦争中は主に執筆や評論活動に勤《いそ》しんでいた石原は、東京裁判で戦犯の指定から外れると、証人として出廷し、「私には些細ながら思想がある。東條という人間には思想はまったくない」と東條を批判している。

石原には自分なりの戦略があった。満州国の建国を主導したものの、そこから戦線を拡大することには反対して、今アメリカと戦っても負けるという確信から「戦うべきではない」と主張していた。

石原の描いていた構想は「満州国は相当に広くて資源もあるから、これを日本と中国の共同統治のような形にして、そこで国力を蓄え、米英に負けないだけの国力がついたところで最後の戦争をして、東洋と西洋のどちらかが世界の覇権を握る」という壮大なものだった（最終戦争論）。

だが当時の陸軍の人間たちは、とにかく戦線を拡大することしか考えていなかった。石原はミッドウェー海戦で負けた段階で「もう白旗を揚げてしまって、なんとか講和したほうがいい」と考えていたと思われるが、そのとおりにはいかなかった。日本はそこまで連戦連勝状態だったこともあり、ミッドウェーが日米の実力差を見せつけられる決定的な敗戦であったにもかかわらず、いわゆる〝損切り〟ができない状態になってしまったのだ。

つまり、人はたくさん死んだし、多額の軍事費も使ってきたのに、ここで白旗を掲げてしまったら、今までの犠牲がすべて無駄になってしまうというわけである。結果論になるが、ミッドウェー海戦に大敗したところで白旗を揚げてしまえば、３００万人の日本人は死なずに済んだのである。

過去にすがる秀才、未知に賭ける天才

こういったことは現在の企業経営においても教訓になるだろう。いろいろな設備投資をして、人も集めて新規ビジネスを起こして、それが失敗に終わったとき、そこで見切りをつけて別の事業展開を考えるのか。それとも、これまでの投資が無駄にならないように同じやり方で頑張り続けるのか。だが、なんとかなるかもしれないと考えて、ひたすら頑張るというのは誰にでもできることだ。しかし、一度失敗したやり方を続けても成功する可能性は低いだろう。

ごく稀に同じやり方で成功することもあるだろうが、しかし現在のように日々新たなイノベーションが生まれて社会情勢が変化していく時代には、「今までのやり方ではダメだ」といったん見切りをつけて、もっと新しいことを考えたほうがいい。新たなビジネスで成功するためには、思い切って古いやり方や考え方をいったん捨ててしまうことが重要だ。だが、受験を頑張ることで結果を出してきた東條英機タイプの人間は、なかなか新しい発想ができない。そのときに求められるのは、太平洋戦争時の石原莞爾のような、まったく新しいことを考えられる人材だ。

　だが、日本の官僚などはまさに東條タイプの集まりで、東大法学部を成績優秀で卒業したような人間がそのまま日銀や財務省に入り、そういった人たちが戦後日本の中枢を担ってきた。

　受験テストにおいては、すべての問題に模範的な正解が用意されている。まったく前例のない新しい問題などはないから、それまでの試験の傾向と対策を学習して、「これはこういうふうに解くのだ」ということをたくさん覚えて、その覚えた正解を最短の時間で導き出せる人がいちばんいい点数を取れる仕組みになっている。つまりは前例踏襲主義だ。

だが、こういうシステムだと、人と違うことを考える人というのはなかなか上位に上がってくることはない。そのため官僚になるのは、どうしても努力型の秀才タイプばかりである。

日本にジョブズは生まれない

秀才タイプは、前例を踏襲して同じような内容の仕事にコストをどんどんつぎ込んでいくようなことはうまくこなすが、未曾有の事象に直面したときには前例になる答えがないから、たちまち手詰まりになってしまう。そんなときには、まったく新しいアプローチを考え出して、未体験のことに対応できる人材が求められるのだが、こういう人が太平洋戦争当時の政権や軍幹部、そして戦後日本の官僚、大企業の中枢には、ほとんどいなかった。

それが１９９０年代からの世界の経済戦争で主導権を握るどころか、為す術もなく敗れてしまった最大の原因だった。

一方、この経済戦争に勝利したアメリカは、スティーブ・ジョブズにしてもビル・ゲイツにしても「変な人」だった。ジョブズのような経歴だと、日本でなら小学校低学年の時点で落ちこぼれ扱いをされていただろう。高校から大学にかけても、違法なシステムを開発販売したり、薬物を使用したりといった具合で、人生の早い時点で社会不適合者の烙印を押されていたに違いない。

　社会に出てからもまともに会社勤めをするようなことはなく、自身で立ち上げたアップルからも、あまりにもエキセントリックな性格のせいで一度は追放されている。そんなジョブズはまったく受験勉強の秀才などではなく、自分が面白いと興味を持ったことだけを突き詰めていただけであり、そうするうちにアップルは巨大企業になっていった。

　だが今の日本の教育システムでは、そんなジョブズのような才能はすべて淘汰《とうた》してしまうだろう。教育のシステムが悪いし、小学校の頃から先生の言うことを聞く子供や、学校で習ったことをすぐにできる子供ばかりが優遇されている。これは昔も今も変わっていない。

私の妻は子供の頃に6回、小学校を転校したのだが、そうすると学校によって授業のカリキュラムや進行の度合いが微妙に違っている。それで別の小学校へ転校したときに、「国」という漢字を書いたら先生に「この字はまだ教えていないからひらがなで書きなさい」と怒られて、「国」の字に×をつけられたという。このことについて、妻は今でも怒っている。

日本はそのような、子供を型にはめるような学校教育を今も昔もずっと続けている。

大人になって思い返せば、学校の教師に教わったことだけが正しいわけでないことは明らかだろう。教師の教えは一応の指標になっても、それに従うことよりも自分で新しい何かを考えることのほうが、これからの時代には大切になってくる。それなのに学校では、他の生徒よりも先に進んでいる子供の頭をみんなで押さえつけるようにして、「先生の教えたとおりに、今までのやり方でやりなさい」ということばかりをやっている。

そんなことをいつまでもやっていたのでは、ジョブズのように才能のある子供が伸びてくるわけがない。

第三章　天才を殺すニッポン

「実力」でお金を稼いでいる人間を批判する

日本においては、突出した人間の脚を引っ張ったり、頭を叩いて引っ込ませたりというようなことが頻繁に行われている。これは成功した人に対する嫉妬もあるのだろう。SNSでの有名人バッシングでも、何かしら罪を犯したことで非難されるのであればわからないこともないが、それだけでなく「こんなヤツが大金を稼いでもいいのか」みたいな話も、たびたび見かける。

いわゆる「頭のいい人」たちが政府に忖度して小賢しく目先の金儲けに走るのは見過ごしながら、自分の実力で巨万の富を得た人に対しては、「うまいことをやりやがって」と批判したりする。自分から見て業績などに納得のいかない人間が大金を稼いでいると聞くと、「運に恵まれただけ」とか「裏で悪いことをしているからだ」などと言って激しく批判を始める人も多い。

これは何も最近に限った傾向というわけではない。第一次世界大戦の際、日本は戦地などへの輸出が激増。その品目は兵器から日用雑貨まで多岐にわたり、日本中が大正バブルとでもいうべき「大戦景気」に包まれた。

なかでも戦地へ物品を運ぶための船舶の価格や海上運賃が暴騰したことで、造船業や海運業の儲けはものすごいものになったという。また株式相場も活況を呈し、これらで莫大な富を手にする者たちが続出すると、彼らは「成金《なりきん》」と呼ばれた。

海外でも、急にお金を持って性格や態度が変わった人間が非難されることはあるが、それはあくまでも態度の変化を指摘するものだ。ところが日本の場合は、金持ちになったこと自体に反感を持たれてしまうところがある。

そのため第一次世界大戦のときも、政府が国防費充実のために戦争で儲けた企業を対象とした「戦時利得税」を創設すると、新聞の報道も「素晴らしい成金税」「成金征伐」などと、これに賛成の意を示している。

このような「金儲け＝悪」と見る感覚は、欧米ではあまり見られない。「この人は成功したのだから、億万長者になってもそれでいいだろう」と考えるのが普通だ。テスラ自動車をはじめ、さまざまなビジネスを手掛けているイーロン・マスクにしても、日本人の感覚だと金の亡者のようにも見えるかもしれないが、マスクのおかげで高額の給料がもらえる人もいるわけだし、アメリカにおいてマスクが儲けていること自体を批判する声というのはあまり聞かない。

日本にいてもしょうがない

しかし日本だとそうはいかない。２０１４年に高輝度青色発光ダイオードの発明でノーベル物理学賞を受賞した中村修二は、この発明が実用化された際の日亜化学工業社からの報奨金がわずか2万円だったという（日亜側はボーナスや昇給によって同年代の社員よりも、１９９９年に退社するまでの間で６１９５万円多く支給したと主張）。

中村は同社を辞めたあと、カリフォルニア大学の教授に就任し、アメリカ国籍を取得した。このとき、日亜側が機密漏洩の疑いがあるとして中村を提訴すると、中村もこれに反訴する形で、自分の発明した特許への対価を求める訴訟を起こした。

東京地方裁判所は中村の主張を認め、日亜側に２００億円の支払いを命じたが、結局２００５年に日亜側が中村へ約8億４０００万円を支払うことで和解した。

発光ダイオード＝ＬＥＤによる液晶ディスプレイのフルカラー化が実現したのは、

青色発光ダイオードの発明があったおかげで、これを独占的に製品化できた日亜が得た利益を考えると２００億円でも安すぎるくらいだ。それでも中村が和解に応じたのは、日亜の社員だった頃、同社の社長にすごく世話になったからだという。実際、中村は社員時代、青色発光ダイオードの研究をしたいと言うと、社長は二つ返事でＯＫして、破格の研究費も用意してくれた。また、留学したいと言えば、すぐに行かせてくれたし、「学位を取らないと一人前の研究者として扱われない」と言うと、改めて大学にも通わせてくれたという。

日亜は徳島県の会社で、日本の地方の常識からすると、これでも社員に対して十分尽くしているという感覚はあっただろう。いくら中村の発明が会社に巨額の利益をもたらしたとしても、他の社員からかけ離れた報酬を与えるのはよくないという、いかにも日本らしい横並びの精神もあったのかもしれない。

しかし中村の社員時代に、研究に見合うだけの報酬を支払っていたならば、中村がアメリカへ渡ってアメリカ国籍を取得することもなかっただろう。

免疫の研究をがん治療に応用したことで２０１８年にノーベル生理学・医学賞を

受賞した本庶佑《ほんじょたすく》も、２０２０年６月に特許使用料をめぐって小野薬品工業を提訴している。

がんの免疫治療薬「オプジーボ」について、小野薬品側から当初に説明されたとおりの特許使用料を得られなかったとして約２６２億円の支払いを求めた訴訟は、２０２１年11月に和解が成立。小野薬品側によると、本庶に和解金など50億円を支払うとともに、本庶の母校である京大に「小野薬品・本庶　記念研究基金」を設立して、これに２３０億円を寄付するなどの和解内容だったという。

中村も本庶も正当な権利を主張したにすぎないのだが、このときに日本では「研究者があまりお金のことを言うんじゃない」というような批判もあり、多くの人からも「そうだ、そうだ」と賛同する声が聞かれた。

自分の知力や努力によって成功した人が巨万の富を得るということに対し、アメリカなどでは「それが当たり前だ」と、なんの問題にもならない。しかし、日本ではそういう人がなぜか叩かれてしまう。それで頭にきて、中村のように「日本にいてもしょうがない」と海外へ行ってしまうことになれば、結局日本の国力の低下につながってしまう。そういったことも日本低迷の一つの要因だろう。

「犯罪者」と断罪された天才プログラマー

ファイル共有ソフトＷｉｎｎｙの開発者である金子勇は、まさしく日本の社会システムに潰された天才ではなかったか。彼はゲームをするよりも、ゲームをつくるほうが面白いというほど、ソフトの開発やプログラミングが好きだったという。

Ｗｉｎｎｙとは簡単に言うと、「情報の出どころや保存場所を容易にわからないようにした上で、いろいろな人とファイルを共有できるようにするソフト」である。金子がこれをなんのためにつくったのかというと、おそらく権力に検閲をされない形で情報を交換するためではなかったかと思う。

しかしＷｉｎｎｙの最大の欠点は、悪用しようと思えばいくらでも悪用できる点にあった。そこでいちばんの問題となったのが児童ポルノだ。児童のわいせつ動画などが多くの人に閲覧されるような状態になってしまった。

そのせいで金子は警察に睨まれることになり、逮捕されたときの罪状も「著作権法違反幇助の疑い」という内容だった。金子自身は著作権法違反のようなことは一切していなかったが、違反をできるようなソフトをつくったから幇助なのだという。「Ｗｉｎｎｙを公開した時点で、金子には悪用されることが十分に予見できたはず」というのが検察の言い分だった。

たしかに、金子もやりすぎたところはあったのかもしれない。悪用を防ぐためにセキュリティシステムを用意しておけばよかったのだろうが、それがなかったせいで次から次へと違法な使用をされてしまった。企業が保有する個人情報や機密情報、犯罪がらみの情報、ゲームや映画の違法コピーなど、さまざまな違法な、または極秘の情報が流出して、それらが誰の仕業か特定できない状況をつくることになってしまった。

その結果、見過ごせなくなった警察は金子を逮捕したわけだが、彼は道具をつくっただけで、自分自身では悪用はしていない。

京都地方裁判所では、検察側の懲役1年の求刑に対して、罰金１５０万円の判決が下された。検察は罰金刑では軽すぎるということで控訴したのだが、大阪高等裁判所では無罪。最高裁でも無罪になった。

しかし私に言わせれば、これはもともと控訴するのが無理筋だった。悪用されるようなものをつくっただけで罰せられたのでは、技術者はたまったものではない。それがまかり通れば、ミサイルや原爆をつくった人間は全員逮捕されなければならない。最初に有罪判決が出たときに金子の弁護士も「高速道路でみんなが速度違反をしていることを知っていたら、国土交通省の大臣は捕まるのか」などとコメントしている。極端なことを言えば、包丁をつくっただけでも有罪になりかねないわけだ。包丁で人を刺す事件はいくらでもあるのだから、つくり手がそうした犯罪を予見できないわけがないからだ。だから法理論的にみても、金子を法廷に引きずり出したこと自体がおかしなことだった。

こうしたことは検察もわかっていただろうが、それでも告訴に踏み切ったのは、金子のことが気に入らないという人間がいたのだろう。そのような話も噂レベルではいろいろと出ている。実際にも学者や技術者の多くは、裁判の当初から「Ｗｉｎｎｙを合法的に使うことは困難」などと批判的なコメントをしていて、金子を擁護する声はあまり聞かれなかった。

　なぜ金子が気に入らなかったのかといえば、一つに嫉妬や偏見があったのだろうと思う。金子は天才的なプログラマーだったわけだが、茨城大学の出身だった。東大や京大を出ているわけではないから、いわゆる偉い学者先生たちからは「茨城大学なんて三流大学だろう」と思われていたに違いない。「そんな三流大学出身者のつくったものが、評価されることなどあってはならない」というのは、偉い学者先生が考えそうなことである。

　だが、もしも最初から金子のことを周囲が守っていたならば、どうなっていただろうか。Ｗｉｎｎｙに悪用のおそれがあったとしても、国や企業が研究開発を資金面などからサポートして、悪用されそうな箇所をブロックしつつ優秀な部分を強化する形でビジネス展開することができていたならば、もしかしたらＧＡＦＡＭの一角に食い込むような世界的企業が日本から誕生していたかもしれない。それなのに、悪用した人間がいたからといって金子とＷｉｎｎｙを潰してしまったのは、国家にとっての損失ではなかったか。

金子は無罪判決が出てから2年後に心筋梗塞で亡くなってしまった。7年間も続いた裁判のストレスは、彼にとって相当なものだったに違いない。

京大を退職に追い込まれた異端のウイルス学者

新型コロナウイルス感染予防などの名目で、人類史上初めて大規模実用化されたｍＲＮＡワクチンの危険性を訴え続けているウイルス学者の宮沢孝幸は２０２４年5月、これまで勤務していた京都大学を退職することになったという。

同年4月時点で宮沢自身は退職の理由を明かしていないが、本人が退職を望んだものでないことは確かなようだ。一応の理由は任期満了とされているが、真相は藪の中だ。私が大学に勤務していた頃は労働契約期間の定められていないパーマネントだったが、今は多くの国立大学で5年や10年など期間の区切りがあって、そこで再任の審査が行われているようだ。だからその際にいろいろと理屈をつけてクビを切ることはできるのだろうが、普通はなかなか再任審理でクビを切られることはない。

そうすると、やはり宮沢がｍＲＮＡワクチンに関してかなりネガティブな発言をしていたことに原因があったと思わざるを得ない。宮沢は大学側に「再任されない理由を言ってくれ」と迫ったようだが、京大側は「投票した結果、あなたはダメでした」と言うだけだったという。

メディア上では何やらエキセントリックな学者のように扱われることも多い宮沢は、実際にもそういうところがあったのは事実のようだ。すぐにカッとなる性格は、世間から受け入れられにくかった要素ではあったのだろう。しかし、学者としては素晴らしい業績があり、原著論文もたくさん執筆している。

彼は決して「反ワクチン」という立場を取っているわけではない。ウイルス学者の冷静な見解として、ｍＲＮＡワクチンの危険性を否定し切れないということを主張してきただけだ。だが、そのせいで彼のユーチューブチャンネルの動画は散々消されたし、新型コロナワクチンの接種を進めたい政権からは、要注意人物とみなされていたに違いない。また、２０２４年2月には京大発のスタートアップ企業が、コロナワクチンを製造・販売しているファイザー社とｍＲＮＡ技術を用いた新薬の共同開発契約を締結している。そういうことからも、京大としては宮沢をクビにしたくて仕方がなかったのではないか。

政府の建前としては「ｍＲＮＡワクチンを批判することは、国民の健康の保持増進に反する」ということなのだろう。新型コロナワクチン批判はテレビや新聞では、ほとんど報道されることはなかった。見事な情報統制と言える。

宮沢はあくまでも国民の健康を第一に考えて「ｍＲＮＡワクチンにはどうも少なからず人体にリスクがありそうだ」ということを言っているのだ。事実、新型コロナワクチンにおいては、健康被害を受けた人が国に救済を求める制度（予防接種健康被害救済制度）に申請した数は、過去最多を記録している。

であるなら、政府は宮沢の研究を後押しして「危険性はない」もしくは「危険性は否定できない」ということをはっきりさせるべきだろう。それこそが国民にとっての最大の利益につながるのではないか。そのような研究をするなかで、画期的発見が生まれる可能性だってあるのだ。

だが、宮沢がｍＲＮＡワクチンに関する資料を厚生労働省に求めたところ、何カ所も黒塗りした書類を渡されたのだという。学位を持つ学者に対し、研究のための資料を提供しないなど、あってはならないことだ。

政府は結局、新型コロナワクチンの危険性を総括・検証することもなく、宮沢という国を思う優秀な学者を「ちょっと変な人」と切り捨て、抹殺しようとしている。

金儲けのためにでっち上げられたダイオキシン騒動

がん放置療法や抗がん剤の危険性を提唱し続けてきた医師の近藤誠が、２０２２年に心筋梗塞で亡くなった。長年の精神的ストレスが原因だったのだろう。

近藤が亡くなると、とたんにウィキペディアへ批判的な内容が書き加えられたという。近藤が生きている間に批判をすると、彼はものすごくたくさんのデータを持っていて、しかも多くの学会の論文を読み込んでいるから、論争になれば勝ち目がない。だから亡くなったことで安心して批判を始めたわけである。

がん医療に関わる医者や病院からすると、従来のがん治療法を否定する近藤のせいで、かなりの儲けを削《そ》がれたに違いない。そういう意味では彼も宮沢と同様に、資本主義における金儲けを阻害する存在だったわけだ。

今の日本においては、そんな近藤や宮沢のような人をサポートしようという空気は決してマジョリティの間では拡がらない。だが、たとえば親族にワクチンを打って具合が悪くなってしまった人がいれば、宮沢にはもっと研究を進めてもらいたいと思うだろう。抗がん剤治療で衰弱して死んでしまった身内がいれば、近藤の言っていることが正しいと思うかもしれない。

本当に国民の健康を考えるなら、現在主流となっている医療研究を進めるのと並行して批判的な研究も進めるべきなのだ。だが政府も医療業界も、その多くは目先の金儲けのためにはどうすればいいかということばかりを主張している。

しかし、医療は個々人の命や健康にかかわることなのだ。そして実際に、世間的に信じられていた健康や医療にまつわる常識が実は誤りだったということは、これまでに少なからずあった。

1990年代の終わりから2000年代初頭にかけて日本中で大騒ぎになったダイオキシンや環境ホルモンの害については、政府が率先して研究費を出し、ダイオキシン類対策特別措置法なるものまでがつくられた。しかし、その研究の結果、実際にはダイオキシンや環境ホルモンなどの害はきわめてわずかなものでしかないことがわかった。

ところが金儲けだけを考える人間からすれば、ダイオキシンの害が嘘でもなんでも構わなくて、ただ大きな反響があればよかったのである。法律を根拠にして「ダイオキシンを排出しない」と謳う最新型の焼却炉が全国各地に建てられて、それで儲けた人がたくさんいた。焼却炉に関連する会社の人間が、法律制定の裏で暗躍していたのだとも噂されている。

今の日本で公的に行われていることのほとんどは、何かしら目先の利益のためのものであると考えたほうがいいだろう。

金儲けのために正論はかき消されようとしていると言っていい。

他者の意見を「陰謀論」と切り捨てる人々

今の日本は宮沢孝幸やれいわ新選組の山本太郎など、主流でない意見を言う人たちは、おしなべて「ヤバい陰謀論者」とレッテル貼りをされてしまう。

しかしそれは、本当にその人物がヤバいと思って言っているというよりも、たとえば今の時点で山本太郎を担いだところで儲からないから「陰謀論」というレッテルで蓋をして、うるさく目障りな人間の口をふさぎ、見なかったことにしようということのように感じられる。

山本太郎は結構したたかだから、何を言われようと全然へこたれない様子でいるが、宮沢はXなどを見るとかなり精神的に追い詰められているようだ。いくら信念をもってやっていても、よってたかって陰謀論者呼ばわりされれば、かなりのストレスがかかってくるのは当然だろう。

自分とは違う意見に接したとき、すぐに「それは陰謀論だ！」と言ってしまう人は、もともと自分の考えにあまり自信がないのだろう。普段は自分のやっていることや考えていることがいちばん正しいと思っていても、違う意見を聞いて迷いが出て、気持ちが揺らぐこともある。そんなときに迷いを打ち消すためには、相手を頭から否定するのがもっとも簡単なやり方だ。

たとえば山本太郎の演説を聞いて、「実はアイツの言っていることが本当なのかもしれないな」と思っても、それを信じてしまえば「これまで自分の言ってきたことはなんなんだ」ということになる。そんな不安で不快な状態を簡単に解消するために、「アイツの言うことは全部ウソだ！　陰謀だ！」と言って、耳をふさいで自分の殻に閉じ込もってしまう。そうやって自分の考え以外のものをみんな否定しているほうが精神状態は安定する。世の中で「陰謀論」とされているものの大半は、そんな経緯で生み出されているのではなかろうか。

　また、普段からあまりしっかりと考えていない事柄については「いろんな人が言っていますよ」というような多数の意見に従っておくほうが安心できる。それで「たくさんの人が言っていることが正しくて、そうでない異論はきっと間違っているに違いない」と、少数派の意見に「陰謀論」のレッテルを貼ろうとする人もいるだろう。

　意見の食い違いがあったとき、「私はこういう立場だけれど、私とは反対の立場や他にもいろいろな人がいてもいい」「それは間違っていると思うけれど、その意見の存在自体を許さないということまでは言わない」というくらいの態度でいられるのが、賢い人の考え方であり生存戦略である。しかし、やたら「陰謀論」と相手を罵るような人は、思考の段階を踏むことをすべてすっ飛ばしてしまう。

そのような人が増えている現状をみると、世界全体がなんとなく、中世の魔女狩りの時代にまで後戻りしているような気がしてしまう。

不安な時代は多元論より一元論へ

２０２３年10月25日、最高裁判所大法廷は「トランスジェンダーの性別認定には生殖不能手術が必要だとする国内法を違憲とする」との判断を下した。つまり性器を切除するなどの手術をしなくても、戸籍上の性別を変更することを認めたわけである。

このことについて、激しく反対する人が少なからずいる。私としては「同性で結婚しようと、性別適合手術をしようとしまいと、他人のことはどうでもいいじゃないか」「自分のことでもないのに批判して騒ぎ立てる必要などないじゃないか」と思うのだけれども、それをわざわざ否定しようというのは、やはり自分自身の考えになんとなく不安なところがあるのだろう。

世界の政情がだんだんと不安定になってきて、いろいろなところで対立が起きている。そういうときにはどうしても多元論よりも一元論のほうが強くなる。

世界的に見るとイスラム教徒がどんどん増えていて、あと半世紀もすると、キリスト教徒の人口を上回るとの予測がある。イスラム教では「絶対にこれはダメ」といった禁忌が強くあって、イスラム教の国ではすべて、ＬＧＢＴはバッシング対象である。一方のキリスト教は、近年の欧米ではキリスト教徒を名乗っていても教会へ行っていない人が多く、「心の中ではある意味で無神論だけれども、一応の世間体もあるから、カトリックだとかプロテスタントと名乗っている」というケースも多いという。これは日本の宗教事情にも似ていて、そういう意味で日本は世界の最先端を行っているのかもしれない。

しかしそうは言っても、現実にはイスラム教徒が世界でどんどん増えているわけで、そうすると、禁忌によって多様性が否定される世界に向かっているのだとも言える。もっとも、宗教がグローバル化すると禁忌が弱まる傾向があり、イスラム教も将来的には宗教的タブーが多少、弱まるだろう。

明石家さんまの処世術

陰謀論とレッテル貼りをして、問答無用で異論を抹殺するということが多くなっているが、そうやって相手の意見を潰そうとしたところで、自分の頭の中で「精神的勝利」を得られるだけだ。もっと何か具体的な得があるのかといえば、そんなことはない。だから他者を「陰謀論」などと批判することは、あまり賢い選択とは言えない。いまどきの「賢い人」というのは、いかにも「みなさんの意見を聞いていますよ」という顔をしていながら、自分が得するような意見を取捨選択していく。

LGBTについても「絶対反対」などと言う人も、今の日本ではまったく得をしない。「LGBTを認めましょう」と言う人がいたときに、自分が本心でどう思っているかは関係なく「あぁ、いいですねぇ」とニコニコ笑顔でいる人のほうが、絶対に世間からのウケはいい。

とくに芸能人などは「何をしたらウケて、何をしたらテレビCMに出してもらえるか」といったことを常に考えているわけで、一般人もテレビCMには無縁だけれど、感性としては似たようなものだろう。

私は自然エネルギー導入に反対しているけれども、今だったら、たとえば太陽光発電とか風力発電に対しては肯定しておいたほうがウケはいい。私のような「太陽光反対」みたいなことを言っても仕事は来ないし儲からない。実際にどう思っているかは関係なく、少なくとも表面的には賛同しておいたほうが本人の得になる。

お笑いの人も、あまり政治的なことを言わないようにしているように見える。ビートたけしなどは昔から政治的なことも言っていたけれども、明石家さんまは政治的なことは口にチャックして言わないようにしているようだ。それだから長く芸能界で活躍できているということもあるのだろう。

だが、実際の頭の中は決して政権寄りではないようで、新型コロナワクチンに関しても「生まれてこのかた、ワクチンというものを打ったことがない」と言っていた。これは政権の言うことに反発しているわけではなく、他人の言葉に流されないで、自分の頭で判断して生きていきたいというのが、彼にとっての矜持なのだ。

しかし、いくら自分の判断だからといって、政権の意図に反することをあまり大っぴらに言うといろいろと差し障りがあるだろうから、芸能活動のなかでそういう態度を見せることはほとんどしない。だからといって、あえて政権の提灯《ちょうちん》持ちのようなこともしない。それはそれで賢い処世術であろう。

温暖化問題の嘘で儲ける人たち

私のように高齢になれば、もう世間からどう思われても構わないから、何を言うのも平気だけれど、若くて将来のある人だと、世間一般で言われていることに反対するには勇気が必要だろう。

たとえば、地球温暖化問題だ。今の温暖化対策が無意味であることについてはいろいろなデータもあるのだが、それを示したところで最初から「石炭・石油はダメだ」と思い込んでいる人は、私がいくら本を書いたところで読もうともしない。読む前から「偽科学だ」「陰謀論だ」と否定して、「世界の9割の学者はお前と違うことを言っているのだから、お前は間違っている」と言う。

しかし、科学というのは多数決で正しさが決まるものではない。IPCC（気候変動に関する政府間パネル）に集う御用学者は別とし、世界の科学者の9割が賛同しているという話自体が怪しいのだが、9割の学者が賛同したとしても、その意見が正解とは限らない。これからしばらく経って世界がクラッシュを起こしたときに、真実に気づくことになるのだろう。

今の時代の「賢い人」というのは、自分の信念など持たず、目先の金儲けを第一に考えるから、温暖化についても「これをやるとクールアースにつながります」「太陽光発電パネルを設置しましょう」「電気自動車に乗り換えましょう」など、いろいろなことを言ってさまざまな商品やサービスを売りつけようとする。

そのようにふるまうことが正しいとされ、世間の風潮もそれが当然のことのようになっている。しかし実際問題として、どんな対策をしたところで地球の温度は人為的には下げられない。

それに、もしも「こういう対策をすれば地球の平均気温は2℃下がります」と言って、そのシステムを立ち上げて本当に2℃下がったときに何が起こるか。

まず農作物が育たなくなって食糧不足に陥る。そうなったとき、気温を下げるシステムを立ち上げた科学者や政治家たちは「お前がくだらないシステムを考えて、実行したおかげで本当に地球の温度が2℃下がってしまって、北海道でまったく米がとれなくなったではないか」と、米農家から訴えられて、損害賠償を請求されることになるかもしれない。

どんな対策をしようとも地球の温度は下がらないのに「下がる、下がる」と言っていろいろな物を売りつけ、それでも気温は下がらないから「もっとやらないと下がりません」「もう少し頑張れば地球はクールダウンします」「みんな地球にやさしくしましょうね」と言ってさらに物を売りつける。最近では「農業の際に排出されるメタンガスが問題だ」といって伝統的な農業を規制して新たな稼ぎ口にしようというような動きまで出ている。

だが、電気自動車が普及しようが、太陽光パネルが普及しようが、化石燃料を完全になくしてしまおうが、地球の温度は下がらないし、地球全体のCO_2の量も減ることはない。

温暖化対策を主張する側の大半も、どんな対策をしたところで効果はないとわかっているはずだ。それなのに温暖化対策を推進しようという、マッチポンプともまた違う、何かものすごく変なやり方、すなわち、いくら温暖化対策を進めても地球は寒冷化しないので、寒冷化して困る人から訴えられるおそれがないというやり方で新たなビジネスを生み出して儲けている。

それを考えた人間を「賢い」とは言いたくないが、ものすごく頭がいいことは確かである。温暖化対策を言ったところでバッシングされるおそれはなく、それどころか、騙されている一般の人たちからは「すごくいいことをしてくれている」とほめられる。実際にはなんの役にも立っていないのだけれども、とにかくお金だけは儲かる。

化石燃料を燃やして電力をつくろうと何をしようと、地球全体の気温変動とはほとんど関係ないのだけれど、「化石燃料をやめて太陽光にしたほうがいいですよ」と言って太陽光発電を推進すれば政府からの補助金ももらえて、ものすごく儲かることになるのだ。

このときに一般の人々は、電気代が上がって損をしているのだが、それなのに「太陽光発電はいいことだ」と信じてしまっているから、文句を言うこともできない。「電気代が上がって大変でしょうが、みなさんの努力によって地球の温度上昇をストップさせなければなりません」「これ以上に温暖化が進めば、みなさんの子供たちは生きていけなくなります」などと言って騙して、一般の人たちから巻き上げたお金で私腹を肥やしている人間がいる。これは温暖化問題に限った話ではなく、世界の政治のあらゆる場面で行われている手法ではなかろうか。

新型コロナワクチンも同じような話だった。「みんなが打たないとウイルスが蔓延してしまいます」「お年寄りにうつさないためには、小さな子供にも打たせましょう」「あなたが打っていないと、おじいちゃんやおばあちゃんがコロナで死んでしまいますよ」などと言って、政府は国民全員にワクチン接種を推進した。しかし実際には、ワクチンを打っても打たなくてもたいして結果は変わらなかった。そのことはデータとして結果が出ているし、今では新型コロナのことなどほとんど誰も気にしていない。

最近ではワクチンを製造した製薬会社までもが「ワクチンはコロナの感染予防にはあまり役立たなかった」などと言い出している。それでも「重症化予防にはなる」と言うのだが、それだって本当かどうかわかったものではない。

どうなれば重症化が進むのか、その原因もわからないまま、とにかくワクチンを打たせておいて、それで新型コロナにかからなければ「ワクチンのおかげ」と言う。コロナにかかっても重症化しなければ、これもまた「ワクチンのおかげ」だと言う。ただ、自分たちの都合のいいように言っているだけだ。最近、日本においては3回目のワクチン接種後に、がんの死亡率が上昇したという論文が出ているので、デメリットのほうが大きそうだ。

疑うことを許さない日本社会

温暖化やワクチンのことに限らず、政府の言ういろいろなことに対して、自分の頭で疑うことをしない人が多いのは、教育の段階で「教師の言うことを疑ってはいけない」と強制してきたからだろう。

教師の言ったことをそのままテストの答案に書くことがいちばん正しくて、「なぜそういう答えになるのですか？」という質問は半ばタブーのようにされている。「なぜ？」と言わずに、ちゃんと言われたとおりにやればいいのだと、小さな頃から教師に教えられている。

私が聞いた話のなかでも、とくにひどいと思ったのが「リンゴが5個あって、1個10円だとすると全部でいくらですか」という算数の問題に対する教師の対応だ。

リンゴが5個で1個10円なら、5×10でも10×5でも答えは同じ50円だ。ところが教師は「10円のリンゴが5つだから10×5は正解だけど、5×10とするのは間違い」と言ったというのだ。

掛け算というのは、前後をひっくり返しても同じ結果になるのが原理原則だ。これが引き算や割り算だと、ひっくり返せばまったく違う答えになってダメだけれど、足し算と掛け算は前後をひっくり返しても答えは同じ。だからどちらでもいいのに、なぜか変な理由付けをして訳のわからないことを言っている。

なぜそんな妙な理屈をつけるのか。本来の算数では、四則計算の原理だけを教えればいいはずなのに、これでは算数ではなく国語の問題である。それなのに「答えが同じなのだからいいじゃないか」といっても「ダメです」となる。

教師の言うとおりにしなければ、答えが合っていてもダメだと教えることは、生徒を混乱させるだけでまったく教育としての意味をなしていない。これは一部の特殊な例なのかもしれないが、教師が言うこととは異なる別の正解を考えることも許さない教育が小学校で行われているというのは、私にとってかなりの驚きだった。

まさか優秀な子供を潰したいと意図的にやっているわけではないのだろうと信じたいが、現実には、生徒の脚を引っ張って少しでも優秀な人間の頭を抑え込もうとするような教育が小学校で行われているのは確かだ。

掛け算で簡単に計算をしようとした小学校低学年の女の子に対して、教師が「掛け算はまだ教えていないから使ってはいけない」と言ったという話も耳にした。そんなアホみたいなことを言っているのは日本だけだ。掛け算ができるのならどんどんやらせて、数学の才能を伸ばしてあげようというのが世界の標準的な教育姿勢であり、日本のようなやり方ではギフテッドなんて育たない。もしギフテッドの子供がいたとしても、教師に潰されてダメになっていくだけだ。

日本で出世するのは無能な人間

ＭＬＢロサンゼルス・ドジャースの大谷翔平は、日本にいたときは周囲の人間が「投手か野手かどちらかに専念しろ」とうるさかったようだが、アメリカへ行ってからはのびのびと二刀流に挑戦している。大谷は２０２１年にＭＶＰを獲得したあとのインタビューで、「（二刀流を）やるにあたって、やっぱりアメリカのほうが、もちろん懐疑的な声はありましたけど、受け入れてくれる器というか、そういうのは広いなと感じたので。どちらかというと日本の1年目のほうが、なんというか、幅としては狭かったかなという印象が強い」と語っている。

本人の思いどおりにやらせてみて、成功すれば賞賛するし、失敗したところで自己責任なんだから好きにやればいいというのがアメリカなど海外の標準的な考え方だ。しかし日本では、自分の責任だということをなぜか認めずに、人のやることに他人がああだ、こうだと文句を言ってくる。

アメリカで多くのベンチャー企業が成功しているのは、アメリカの風潮に起因するところが大きい。どんな事業を始めたとしても、成功すればほめられるし、失敗してもそれは本人の責任だからしょうがないと考える。その点でいえば、日本は世界の中でもっともダメな国かもしれない。これまでにやっていないことで成功しそうだと見ると、みんなでそれを叩き、脚を引っ張ろうとする。

第二次世界大戦の頃でも、優秀な人間より忠実なだけの無能な人間のほうが出世をしているわけだから、社会全体のシステムが「組織の論理に忠実で、前例を踏襲して、新しいことを言わず、先人の悪口も言わない」ということで出来上がっているのだろう。

とくに官僚は、昔も今も基本的に前任者のやり方を踏襲していて、そのやり方への不満を言わない。キャリアで入省した官僚はヒラから係長、課長補佐、企画官、課長と昇進していくが、同じポストにはせいぜい5年程度した留まらないから、何かにチャレンジするよりも、とりあえず大過なく過ごすことを大切だと考える。そうして審議官になってからも大過なくすごし、首尾よく行けば局長、最後は次官にまで昇進して、退職後に天下っていくというのが官僚職の王道だ。そのときにいちばん重要なのは、前例と違ったやり方や考え方をしないということ。前例を踏襲しておけば、たとえ失敗しても自分の責任とはならないからだ。

それでも大臣の言うことは聞かざるを得ないから、省庁のトップに立った大臣が「前例をひっくり返せ」と言えば、「失敗しても自分の責任ではなく大臣のせいだから」と新しいやり方もできるのだろう。しかし、「自分で考えて新しいことをやろう」というのは、官僚からするとなかなか難しいようである。

第二次世界大戦でも結局は、以前にやったことを否定することができないために、ズルズルと敗退してしまうことになった。

日本海軍がミッドウェー海戦で大敗を喫したとき、総理大臣だった東條英機はよほどショックだったのか、「戦略の天才」からアドバイスを得ようとして、自らの手で引退させた石原莞爾をわざわざ呼び寄せて「君は今後の戦局についてどう考えているか？」と尋ねたという。それに対して石原は、「戦争の指導など君にはできないくらいのことは最初からわかっていた。このまま行ったら日本を滅ぼしてしまう。だから君は一日も早く総理大臣をやめるべきだ」と言い放ったという。

東條は、そんな石原の意見を取り入れようとはしなかった。その結果、軍人・軍属が約２３０万人、民間人では約80万人の合計３００万人以上が犠牲になった。

一度失敗したらやり直せない社会

日本が官僚制度を取り入れたのは、明治政府になってからのことだった。その前の江戸幕府が長く続いたことで、官僚主義的な政治決定が行われるようになり、それが明治政府に引き継がれて官僚主導のシステムが出来上がった。

江戸以前の戦国時代には、弱小武将だった織田信長が今川義元の大軍を桶狭間の戦いで破ったように、完全な実力主義の世界だったわけだが、天下泰平の続いた江戸時代にその気質が変容した。明治時代に帝国大学や陸軍士官学校で養成されたエリートとは、武力に優れているわけではない、ただの受験秀才だった。しかし受験秀才がトップに立って戦争をやってもうまくいくわけがない。

そして戦後になってもなお、受験秀才が主導する官僚的なシステムは、日本政府や官僚組織、企業にまで引き継がれている。

そこではミスをしない人が出世をする組織形態になっていて、新しいことを始めて失敗すれば左遷されるが、前例どおりのことをやってうまくいかなくても自分のせいにはならない。それどころか斬新なアイデアを出すような人間は「君は現実的じゃないね」「前例にないから」などと言われてストップをかけられ、挙げ句の果てには「君の考え方はウチの会社に合わないから」といってパージされてしまったりもする。

失敗したときに出直すことができないというのが日本の悪いところで、官僚に限らず民間の会社もこれは同じだ。一度落っこちてしまうと、次のチャレンジができないような社会システムになっていて、一度会社を辞めてしまえばなかなか再就職もできない。

今いる会社でそれなりに実績を挙げていれば、それが再就職に役立って、新たな会社で好待遇を得られることもあるだろう。しかし、最初の会社が自分に合わなくて仕事がうまくいかないから転職したいということになると、とたんに門戸が狭くなる。そうすると、自分に合わない会社だと感じていても、そこにしがみついているしかない。ほとんどすべての職場がそのような状態にあると言ってもいいだろう。

ここ最近は中途採用に積極的な企業も多少はあるようだが、かつてはほとんどなかった。本当は30歳になっても22歳の新卒より優秀で将来性豊かな人材もいるわけだから、そんな人間にもチャンスがあってもよさそうなものだが、そういうことを日本の企業はやらないし、国もやらない。

最近になってようやく就職氷河期だった人たちを救おうというアプローチも少しずつ見られるようになり、氷河期世代の人を採用する公的機関も出てきた。とはいえ採用人数は雀の涙程度で、ものすごく狭き門であることに違いはない。就職氷河期を経験してきた40代から50代前半くらいまでの人には、ずっと非正規社員としてやってきた人がたくさんいて、いま非正規として働いている会社で正社員になろうというのもなかなか難しい。新卒時に企業側の募集が極端に少なかっただけなのに、「就職できなかったのは自己責任」などと言われるのだから、言われたほうはたまったものではない。

受験戦争の結果である学歴や、職歴だけが判断基準となっていて、新しい人材を発掘するという努力や気風が日本の企業には足りない。

たとえば出版業界だと、かつてはビジネスの規模が小さく景気がよかったこともあり、編集者個人に裁量があって自由に本を出すことができた。だから学術誌やいろいろなジャーナルを見て「この人は面白そうだから使ってみよう」と、原稿を依頼することもあった。そうやって声がかかれば、本を出したことがない人間はうれしいから心血を注いで本を書く。そんななかから大ヒットも出てくる。

自分で言うのは変だけれど、私のようにこれまで何冊も本を出版してきた人間が新刊を出しても、前著と同程度の数は計算できるだろうが、いきなり大ヒットが生まれる可能性は、そんなに高くはない。第一、一人の人間がそんなに多様な意見があるわけでもない。書くほうとしては、誰も考えつかなかった論点に言及したつもりでも、内容が似たようなものになるのは避けられない。「だいたいこのくらいのものなら、これくらいは売れるだろうから、会社は赤字にならないだろう」「だから出版しても大丈夫だろう」などと、出版社側も安全な道だけを選んで走っている。

しかし、もし「海の物とも山の物ともつかない」という書き手を起用して返品の山になったら、「お前がコイツを連れてきたのだから、責任を取れ」と言われてしまう。だから、いくら自分が面白いと思っても自分の責任で無名の人間を強力に推すということがやりづらくなっているのだろう。しかし、そのやり方では新しい才能は出てこない。

「変人」がいないとイノベーションは起きない

日本に比べて、アメリカが新しいものを取り入れることに躊躇がないのは、そうすることが国の財産を増やすことにつながると理解しているからだ。実際、今のアメリカもGAFAMと呼ばれるような巨大企業があることで資本主義経済が生き長らえている。そしてそれらは、ビル・ゲイツにしてもスティーブ・ジョブズにしても「変なことを考えているヤツら」を好き勝手にやらせたことで、巨大企業にまで成長していったのだ。

ところが日本は、ちょっと人と違ったことをやろうとすると、何かしらケチをつけられて、最悪の場合だとＷｉｎｎｙの金子勇のように逮捕されてしまう。もしも金子が能力のすべてを、新しいものを開発することに使っていたならば、Ｗｉｎｎｙよりもすごいものができたかもしれないし、その技術によって新たな事業を立ち上げれば、それが国富になっていたかもしれない。しかし日本はそれができないし、やろうともしていない。

アメリカは天才がマネタイズを生むことがわかっているが、日本の場合はわかっていないというか、そもそも天才の存在を認めず、全員を横並びにさせておいて「みんなで一所懸命に頑張ればできる」などと言っている。それで目標を達成できなければ「頑張りが足らん」「努力が足らん」「根性が足らん」という、そんなシステムが出来上がってしまっている。

会議でも「みんなで意見を出し合えば、いい意見が出る」というのだが、必ずしも多数決がいい答えを導き出すとは限らない。

多数決の結果というのは往々にして、低性能のＡＩが出してくる中央値のようなものにしかならない。素晴らしい革新的な意見が生まれることはほとんどなくて、たいていは平凡なつまらないところへ落ち着いてしまう。それでは新たな進化は生まれない。イノベーションのためには、変なことを考える人と、それをサポートする環境が必要なのだ。

青色発光ダイオードを開発した中村修二のような人間が出てきたとき、それを育てて自由に研究させたところまでは日亜化学工業は素晴らしかった。そこからもう一歩踏み込んで、優秀な人間をみんなで持ち上げて、たとえば新たに会社を立ち上げ、そこの社長を任せるくらいのことをしていけば、それが新たな可能性を生み出すことになるのだ。

ところが日本では組織の論理が最優先で、少しでもその枠をはみ出したことをやろうとすれば「うちの社風と合わない」となってしまう。

実力よりも「肩書き」と「年齢」で評価される国

それでいて日本は外国の権威に弱いから、ノーベル賞を獲ったりするとみんながこぞって持ち上げる。他の国だったら自国の勲章をもらったような人がノーベル賞を獲る。つまり優秀な人間は、ノーベル賞を受賞する前から評価されているのだけれど、日本だと若い人を持ち上げるようなことを組織も周囲の人間も好まない。だから実際にも、ノーベル賞を獲ったあとにようやく文化勲章をもらったという人がたくさんいる。海外のお墨付きを得てから、その人物を評価するパターンだ。

文部科学省のこれまでの前例からいっても、ノーベル賞を獲った人は文化功労者にして文化勲章を与えないといけないようなことになっているのだが、それ以外の場合だとどんなに立派な業績を挙げても、75歳を過ぎないと文化功労者にはしないふしがある。文化功労者になった人には、年間で350万円の終身年金がつくからだ。それだからあまり若い人には与えたくないのだろう。高齢になってから年金をもらっても研究に活かしたりはできないのだが、そんなことは何も考えず、ただ前例や年齢のことだけしか頭にないのだ。

また政府に批判的なことを言う人間も文化功労者になれないし、文化勲章ももらえない。たとえば、戦後の思想界に多大な影響を与えた吉本隆明や鶴見俊輔は政権に楯突いていたので、どんなに文化に貢献したとしても文化勲章はもらえないのだ。私の東京教育大のときの同級生で、植物学専攻にいた谷口維紹《ただつぐ》は２０２３年に文化勲章をもらったが、彼はきっと政府に楯突かなかったのだろう。

ともかく政権に楯突くことを言った人間は、どんなに立派な業績を上げても国からごほうびはもらえず、経済的には損をする。突拍子もないことを言っていると思うかもしれないが、老いも若きも国に従順なほうが儲かることは確かだ。

だから今のメディアにうんと出ているような人たちも、そのほとんどは一見すると政府を批判するようなことを言っていても、よく見れば「議員個人は批判しても、財務省の方針には逆らわない」というような態度だったりする。根底のところでは完全に反対するようなことを言わずに、ただただ上澄みのようなことばかりを話している。

リスクを恐れずに最初の一歩を踏み出す人や企業のことを指した「ファーストペンギン」という言葉があるが、日本はそういう人をあまり優遇しない。最初の一歩を踏み出して、成功すれば「すごい」と言ってくれるけれども、やり始めのときには誰もサポートをしてくれない。それどころか「くだらないことをしているんじゃないよ」というような顔で見ているだけだ。しかし、この人間が成功してノーベル賞を獲ろうものなら、それまでは「何をやってるんだ」と批判していた人間が、手のひらを返して「すごい快挙だ」などと言い出したりする。

その典型とも言えそうなのが、島津製作所の田中耕一だろう。彼は1985年にタンパク質などの質量分析を行う「ソフトレーザー脱着法」を開発し、これにより2002年にノーベル化学賞を受賞した。それまでの田中の学位は工学士で、日本の学会の誰も彼のことを知らなかったから、ノーベル賞を受賞したときにはみんなが仰天した。逆に言えば、ノーベル賞を受賞するような技術であっても、博士号を持っていない一般会社員のやったことは評価しないというのが、日本の学会の実態なのだ。

第四章　本当に「頭がいい」とはどういうことか？

ＡＩに価値を奪われる受験秀才

ＣｈａｔＧＰＴに代表されるような生成ＡＩが発達することにより、今後ＡＩが人間に取って代わることになり、さまざまな職業がなくなるといわれている。「ＡＩによって将来なくなるかもしれない職業ランキング」というネット記事などを見ると、電車や路線バスの運転手、警備員、スーパーマーケットのレジ打ちなどが上位に挙げられることが多いようだ。しかし、実はこれらの仕事は案外とＡＩでは代替しにくいようにも思う。自動運転や警備監視、セルフレジといったことはＡＩでもできるようになるだろう。だが、乗客が突然病気になったときに介抱したり、強盗が入ったときに犯人を捕らえたり、客からのクレームに対応したりということになると、それをＡＩができるようになるには、まだかなりの時間がかかりそうだ。当面はどうしても人間の身体的な力やコミュニケーション力が必要になる。

だから実際にいちばんなくなりそうな職業というのは、ＡＩが得意としている「中央値の正解を出す」ということに関わってくる仕事ではないか。

たとえば、アメリカの金融大手であるゴールドマン・サックスではＡＩ導入によって、かつて５００～６００人いたトレーダーが２、３人にまで削減されたという。

会計事務のような、すでに多くの部分を会計ソフトなどに任せている仕事も、ＡＩに取って代わられる可能性が高い。たとえば確定申告などもＡＩを利用することで、税理士を介さずに帳簿記録などの必要な書類をそのままデータで入力すれば直接納税手続きまで済ませるような仕組みをつくることは、さほど難しくないはずだ。

　経営コンサルタントや弁護士なども、調査などの下仕事の処理に関しては人間よりもＡＩのほうが確実で迅速に処理できるだろう。そもそも企業や個人がＡＩを使って市場調査やリーガルチェックなどを行うようになれば、仕事の依頼自体が激減する。

　ＡＩのベースにあるのは統計であり、ある質問を受けたとき、ネット空間に存在する情報を見て回って、もっとも出現率の高い回答から順に答えていく。それで、もっとも標準的な回答を出しているわけだ。

　そういった作業をこれまで得意としてきたのが、受験秀才のエリートたちである。つまり、これから先の時代は受験秀才であることの価値が、ＡＩに取って代わられるということになる可能性は高い。

「中央値」の答えに価値はない

ＡＩにしても受験秀才にしても、もっとも平均的な中央値の回答を出してくる。すると、その答えは往々にして、どこかで見たような「当たり前」の内容になりがちで、目新しい視点からの提案はほぼ出てくることはない。当たり前の回答を出すだけなら、高い人件費をかけてエリートを雇うよりも、ＡＩに任せたほうがいいという経営判断が下されることは当然の帰結である。

そこで人間に求められるのは、ＡＩが出さないような独創的な外れ値の答えをひねり出す能力と勇気だ。

単にＡＩの回答に従っているだけの人は、ありきたりな答えしか出すことができない。それは受験秀才がずっとやってきたことであり、そんなことばかりをやっている人間にイノベーションを起こすことは期待できない。

ただしＣｈａｔＧＰＴも、私自身はほとんど使っていないのだが、人から聞いた話では、質問の出し方によって回答は変わるという。つまり、質問する側の知性が問われるところがあるのだ。質問を入力するときも、一般的な質問にはありきたりな答えしか返ってこないが、独創的な質問には独創的な回答が期待できるようだ。

そのようにしてＣｈａｔＧＰＴの出してくる回答を見ることで、自分が考えつかなかったアイデアを創造することは可能かもしれない。ＡＩに丸投げするのではなく、ＡＩを使いこなす能力も求められることになりそうだ。

まだしばらくの間は受験秀才のやり方でも通用するだろうが、本格的なＡＩ時代になれば、誰でもＡＩを使って平均値の答えは得られるようになる。ただし、それだけでは競合他社に勝てるはずもない。求められるのは受験秀才には出せない、ＡＩには出せないような、独創的なアイデアだ。

前述した本庶佑は、もともと免疫の研究をしていた。それをがん治療に活かす研究を始めた当初は、「免疫の研究とがん治療は別の話」と誰もが思っていた。彼はがんの専門家でもないから「がんの素人が何を言っているんだ」と、がんの専門家である医学者たちからは白い目で見られていたという。

過去の実績に執着しないチャレンジ精神

本庶はもともと免疫学において優れた研究をしていて、おそらく何度かノーベル賞候補にも挙がっていたのだろうと思われる。免疫学をずっとやっていれば、それだけでも「偉い先生」であっただろう。

それなのに本庶は途中から、周囲から批判されることを覚悟の上で、それまで誰も目をつけていなかった「免疫によるがんの治療の研究」に乗り出して、それにより傑出した結果を出した。その意味で日本人離れした天才だと言える。もちろん現実には、今までと違うことをやってもうまくいかない人のほうが多い。それでも信念と勇気をもって一歩踏み出したからこそ、新たな成果を出すことができたのだ。

1987年に免疫グロブリン（抗体の機能を持つタンパク質）の遺伝子構造を解明した功績でノーベル生理学・医学賞を受賞した利根川進は、長年、免疫の研究をしてきた成果が評価されたわけだが、その後に脳の神経をテーマとした研究にシフトチェンジしている。難しい研究テーマであり、まだ機が熟していないということもあったのだろう、そちらのほうでは画期的な業績を出すまでには至っていない。

それでも利根川が過去の自身の研究範囲から飛び出し、多くの脳科学の専門家も苦労する難題にキャリアの途中からチャレンジしたことは、大変立派なことだと思う。

通常なら自分のやってきた研究で一つの大きな成果が出たならば、あとはその研究をマイナーチェンジしながら、重箱の隅をつつくような仕事をやるようになるものだ。そうした細かな研究を続けていても、何かしらの新しい成果はいくらでも出てくるため、それが「業績」ということにもなる。また、それまでに自分のやってきた仕事ならば必要な研究機器も全部揃っているし、ある程度のやり方もわかっているから、それを続けたほうが簡単で、論文の本数も稼げる。実際、多くの研究者たちは、そのようにやっている。

ところが、自分がそれまでにやってきたことから外れた研究をしようとすると、イチから勉強をし直して、必要な機器もイチから揃えなければならない。当然お金も手間も時間も余計にかかるし、それをやってうまくいく保証などない。だからそれなりに結果を出している研究者は、わざわざそういうことはやりたがらない。それにもかかわらず、やろうという決断のできる人間は立派だと思うし、それができる人だからこそ、素晴らしい成果が出せたのだろうとも思う。

社員を信じて成長するサイボウズ

　ソフトウェア開発などを手掛ける「サイボウズ」の青野慶久社長は、なかなか面白い人物である。青野というのは旧姓で、本名は西端という。結婚したときに奥さんが「姓を変えるのは嫌だ」と言うから「じゃあ、あなたの苗字でいいよ」と言って西端姓になり、仕事は青野姓で通している。そもそも彼にとって、苗字などは仕事の本筋には関係ないから好きにすればいいと思っているのだろう。

　サイボウズは愛媛県松山市で立ち上げられたベンチャー企業で、最初の頃は人材確保もままならず「社員がどんどん辞めていく」と嘆いていた。困った青野が残っていた信頼する社員に相談してみると、「好き勝手に働かせてみたらどうですか」と言われたそうだ。そして、そのとおりに社員の勤務スタイルを変更した。いつ出社してもいいし、いつ帰ってもいい。週に何時間働いてもいいということで、スケジュールを社員自身に任せることにしたのだ。

そうは言っても最初は不安だったため、勤務パターンを9種類くらいつくり、そこから社員に選ばせるようにしていたという。そのうちにそれも面倒くさくなって「自分にとっていちばんいい働き方で仕事をしてくれ」となった。それからは週に3日だけ働くとか、午後からだけ働きたいとか、全部リモートでやりたいという社員それぞれの要望を全部認めるようになる。それで業績を上げれば、その分の給料を出すし、ダメなら給料を下げる年俸制にしたところ、退社する社員が減り、それと同時に業績も上がっていったのだという。

このサイボウズのような勤務形態は、「午前9時に出社して午後5時に帰宅する」というのが当たり前になっている日本の会社としては、画期的だろう。

もう一つ、青野のやったことで特徴的なのが再雇用に関する対応だ。普通、他にやりたいことがあるから、あるいは今の会社の仕事はつまらないからなど、どんな事情であれ、辞めた社員に対しては「二度と来るな」となりそうなものだが、青野は「辞めてから6年間は、本人が希望すれば再雇用する」ということにした。今はそういうやり方をする企業が増えつつあるとも聞くが、サイボウズはその嚆矢《こうし》だろう。

一度は辞めて別のことを始めて、それでも戻ってきたいというのは「サイボウズの働き方は自分に合っていた」と再認識したからである。つまり、その人間はサイボウズのよさを認めているということだ。それに加えて「この会社にはまた雇ってくれた恩義があるから、改めて頑張ろう」というふうに、会社への忠誠心も辞める前よりはいくらか高まっているに違いない。もともとやっていた仕事だから、まったくの新人を雇うより効率もいい。一度辞めたからといってケンカ別れをするよりも、よほど優れた判断だろう。

新入社員をいきなり会社の役員に就任させたこともあったという。給料については通常の会社の役員待遇ということではなく、就任前と同じだという。役員は立候補制で、責任が少し増えて給料が変わらないので、手が挙がらないだろうと青野は思っていたようだ。ところが17人が立候補し、全員取締役にしたのだという。志ある人が会社の将来を考えるのはありがたいと、青野は思ったのだろう。

しかもこの決定に他の社員たちから文句が出なかったというのが、なかなか珍しい話ではないだろうか。なぜ新入社員の取締役入りが他の社員たちから受け入れられたのかといえば、給料自体は他の社員たちと違わないため、嫉妬がなかったというのはあるだろう。だが、それ以上に注目すべきポイントは、そのような常識破りのやり方が平気で社員に受け入れられる社風をつくった、青野の才覚ではなかろうか。

過去の実績をきっぱりと捨てる潔さ

西條剛央《たけお》という私の一番弟子みたいな人がいる。正規の学校教育上の弟子ではなく、勝手に弟子入りしてきたのだけれども、今は「エッセンシャル・マネジメント・スクール」という、ちょっと風変わりな学校の代表をしている。その西條は東日本大震災のときに、支援物資や人員をもっとも動かしたボランティア組織の一つ「ふんばろう東日本支援プロジェクト」の代表を務めていた。

そこでは面白い取り組みをたくさんやっていて、なかでもいちばん力を入れていたのが「必要なものを 必要な分 必要な人へ」をテーマとした支援活動だった。
ホームページを立ち上げ、フェイスブックやＸ（当時はツイッター）などのＳＮＳを活用しながら被災地の人たちから必要なものを聞き取り、たとえば「冷蔵庫が欲しい」ということなら、それをサイトにアップする。そして、それを見た支援希望者が直接物資を送るというシステムをつくったのだ。

たとえば家電を買い替えるときに、まだ十分に使えるものであれば、その家電製品を求めている被災者に直接送ることができる。これならお互いに無理も無駄もない。どこに渡るかわからない支援金を送るよりは、「コタツが欲しい」と言う人にコタツを送れば、必要なものが確実に被災者へ渡ることになる。このシステムはかなり利用されたようで、最終的に1億円分くらいの物品を動かしたのではないか。

こういった仕組みを考えて実現したというだけでも相当にすごいことなのだが、さらに感心させられたのが、その活動をきっぱりとやめたことだ。西條はボランティアを続けていくうちにある時点で、「以前ほどは需要がなくなってきているので、もうやめてもいいだろう」と判断し、活動を全部やめ、ボランティア仲間たちに解散宣言をし、組織をすべて解消した。

普通なら、いったん組織が立ち上がり、うまく回るようになれば、これはなかなかやめられない。ノウハウはあるわけだから、また災害が起きたときのために「組織は残しておきます」とＮＰＯ法人か何かを立ち上げて、寄付金を集めたり、政府に申請して補助金をもらったりしながら、自分たちは役員としてお金をいくらかもらい続けることもできただろう。

実際、そうやって私腹を肥やそうと考える人間は世の中にいっぱいいるし、さまざまな支援団体を名乗る組織の少なくない数が、そのようなやり方をしていると言ってもいい。ところが、それを全部やめてしまったというのが潔い。

西條のそういうところは、今の日本人の感覚とはちょっと違っているように思う。

アルバイトを完全自由出勤に

大阪に「パプアニューギニア海産」という小さな会社がある。ニューギニア島沖などで獲れた天然ものの高級エビの冷凍加工を主な業務としている。社長以外の正社員は５人程度で、代わりに女性を中心としたアルバイト従業員が20人ほどいる。

　この会社でも初期のサイボウズと同じように、アルバイトの人たちがなかなか定着しないで辞めてしまうことが問題になっていた。そこで社長が、退職したいというアルバイト従業員に理由を尋ねたところ「朝何時から夕方何時までと時間を縛られるのは、ちょっと大変だ」という。家に小さな子供がいると、しょっちゅう熱を出す。そのたびに病院へ連れて行ったりしなければならず、そのときにいちいち「休みます」と連絡を入れるのは気が引けるし、他の従業員に迷惑もかかる。また、そうやって休めば収入が減るから別の出勤できる日に働きたくとも、それもまた調整に手間がかかる。その他にもなんだかんだと勤務に不都合があるから辞めたいというのだ。

　それを聞いた社長がどうしたかというと、アルバイト従業員たちに「いつ勤務してもいいということにしよう」と宣言した。働きたいときにはいつ来ていい。出退勤の管理はタイムレコーダーへの打刻だけでＯＫ。休むからといって会社へ連絡しなくてもいい。「休みたい」という連絡が入るとなれば、それを受けるための電話番も必要になるし、いちいち面倒くさいから連絡はしてこなくていいという取り決めにしたのだ。アルバイト従業員たちの給料は時給計算だから、好きなときに来て好きなときに帰っても、給与支払いに関して会社側が困るようなこともない。

好きこそものの上手なれ

これと同時にもう一つ、パプアニューギニア海産は大きな仕事改革を実行した。この会社の仕事場では、エビの殻剥き、冷凍、エビフライ用に小麦粉とパン粉をつける、出荷用に荷造りするなど、10数種類の作業行程があったのだが、アルバイトに好きな仕事を優先的にやってもらい、嫌な仕事はしなくていいというよりも、むしろしてはいけないことにしたのである。アルバイト従業員たちには「この仕事が好き」というものに◎、なんとかできるという作業には○、どうしても嫌だという作業には×を書いてもらって、「×をつけた作業はやってはいけない」「なるべく◎をつけた仕事をやってください」と言ったのだ。

そうは言ったものの、社長としては一つの仕事にアルバイトが集中することを恐れていたという。ところが、いざやり始めてみると、やりたい仕事が人それぞれに結構バラけていた。社長自身は、作業に使った道具を最後に洗浄する作業が嫌いで「こんな仕事、やりたがる人はいないだろう」と思っていたら、「私、洗浄の仕事だけやりたいです。エビを触るのは苦手で、道具を洗うだけならそっちのほうがいい」という人がいたりした。

日によっては、どうしても人員の足りない行程が出てくることもあったが、そのときは、手間のかかる製品をつくらなければいい。そのような形でやり始めてみると、まずまず問題なく作業は進んでいったという。

しかも、そうやって自分の好きなことだけをやらせているうちに、徐々にいい意味での変化が起きてきた。まず時間効率がよくなった。好きなことだけをやっているため手際よくできて、それまでにかかっていた時間よりも、かなり短い時間で製品が出来上がるようになり、その仕上がりもよくなった。

顧客からの商品評価もよくなった。卸先のスーパーマーケットなどで「最近、製品がよくなって売れ行きもいいので、もう少し多く卸してください」と言われるようになり、それで会社の売り上げもアップした。「売れ行きがいいのなら、もう少し納品単価を上げてもいいですか」といった交渉もできるようになり、その結果、アルバイトの時給も上げることができた。

そして当初問題となっていたアルバイトを辞める人は激減して、求人募集広告を出すことも減っていった。アルバイトの勤務管理もタイムレコーダーの集計をするだけでいいから、それにかける手間も大幅に減った。このように、すべてが好循環となり、ものすごく生産性が上がって会社の経営状態もよくなったのだという。

このパプアニューギニア海産やり方がすべての会社に当てはまるわけではないだろう。基本、作業が単純だから可能になったという面は確かにある。しかし、当初は不安がありながらも他に例のないような労働環境の変革を行ったところ、すべてがうまくいくようになったというのは、なかなか教訓めいた話ではあろう。

また、他の会社でも社員それぞれに得意な業務と不得意な業務はあるだろうから、得意なことをやらせるということでは参考になるのではないか。

日本の会社の悪いところの一つに「すべての業務に精通しないと偉くなれない」

というジェネラリスト志向がある。しかし、すべての業務のことがわかっていなくても、できるところだけやればいいと言われてみれば、確かにそうなのだ。会社で部署を統括する立場の人はすべての業務を知っているほうがいいのかもしれないが、現場で働く人はスペシャリストのほうが圧倒的にうまくこなせるし、その業務が好きなことなら、熱心に打ち込んでくれる。みんながみんな、会社の全部のことがわかっている必要なんてないのである。

やりたいことをやり続ける人生を送りたい

私は子供の頃からずっと、虫さえ採っていられればいいと思っていた。だから中学生の頃には「大人になってもなるべく仕事をしないで虫だけを採って暮らしていくにはどうしたらいいか」ということを考えていて、その当時の私は「大学の教授になることがいちばん楽そうだ」という結論を得て、それを目指すようになった。

本当に大学の教授になるためにはどうしたらいいかと戦略を立てて、東大は無理そうだったので、東京教育大学に入って、理学博士の学位を取って、なんとか31歳のとき山梨大学の講師に潜り込むことができた。昔の大学というのは今と違って、一度、教員になってしまえば終身雇用で、あまりにもダメだと昇進しないが、基本的には研究などの業績が上がらなくてもクビになることはなかった。だから私としては講師になった時点で「上がり」。あとは暇を見つけて虫採りに行く生活を送ろうと思っていた。

ところが、そのうちに虫採り以外のことも面白くなってきて、進化論についていろいろ書いたりしているうちに、自著もたくさん出版できるようになった。

大学で働くようになった最初のうちは、いわゆる査読付の学術論文も書いていたが、教授になってしまえば英語の論文を書かなくても、それ以上に偉くなることもなければ教授の地位を追われることもない。それでそういった論文よりも本を書くほうが面白くなって今のような生活に至ったわけである。

私が今の学生だったとしたら、たぶん大学教授は目指さなかっただろう。なぜなら、今の日本の大学教員は収入の割には雑用が多すぎて、好きなことだけをしているわけにはいかなそうだからだ。今も虫を採るだけの生活をしたいと思っていたならば、株式投資でもしていただろうか。特別に株がやりたいということではない。他に稼げるあてがあるなら、それでもいい。たとえば、いったんはＩＴ関係などの会社の研究部門に入り、そこで面白い特許を取得してパテント料で暮らせるようになるというのもよさそうだ。

とにかく、なるべく働かずに生活できるだけの稼ぎをつくっておいて、虫を採る生活をするというのが、私にとっていちばん理想的な生き方なのだ。いずれにしても、好きなことをやり続けることができれば、それが幸せな人生なのだと思う。

では、そのためには何をしたらいいのか。最適な戦略とはどういったものなのか。お金を稼ぐことも大切だが、そのためにものすごく苦労をしたり、お金のために人生の大切な時間をつぎ込んだりということには、私としてはあまり価値を感じない。ましてや、政治信条を曲げてまで金を稼ぐつもりはさらさらない。自分の好きなことをするために努力をするのはいいのだけれども、それ以外のことではなるべく努力はしたくない。

これはあくまでも私の考えであって、他の人がどう考えているのかはわからない。

正解なのかどうかもわからない。

好きなことと性差による能力の違い

好きなことをしつづけて生きたいと思っても、好きなことでは金を稼げないのが普通だ。だから、いちばん好きなことで金を稼げて暮らせるならば、それはとても幸せなことである。理想的だと言えそうなのが、将棋の藤井聡太のような生き方ではないか。将棋以外は何もできなくとも、将棋がものすごく強ければそれでいい。藤井自身も将棋がものすごく好きだということを言っている。それで他の現役棋士はほぼ太刀打ちできないくらいに、とんでもなく強い。今の藤井に勝てるのはコンピュータだけではないか。好きな将棋で勝っていれば自ずとお金もついてくる。

だが、それなりに年齢がいってから藤井のような好きなことを突き詰める人生を目指しても、それはなかなか難しい。だからせめて自分の子供や孫には、自由意志で好きな道を選ばせて、好きなことを突き詰めることのできる環境を整えてあげたいものである。

藤井は小学校に入る前から将棋にのめり込んでいたそうで、将棋はそのくらいから始めないことには、まず名人にはなれない。近年の例外は、小学3年生から始めた森内俊之十八世名人くらいだろう。

藤井ブームの影響もあって、この頃は女子でも早くから将棋を始める子が増えているようだから、そのうちに女流棋士でも男性に負けない強い人が現れるかもしれない。しかし一方では「男性と女性は脳の構造が少し違うので、将棋においてはそこがハンデになる」という考えもある。

将棋は言語や論理を司る左脳のほうで主に考えていて、数学などの才能に似ているところがある。過去の大数学者といわれる人に女性がほとんどいないように、将棋も男性のほうが強いといわれている。とはいえ、一般のレベルで言えば、女性だって並みの男性よりも強い人はたくさんいる。

脳を構造的に見たときも、あまり厳密にはわかっていないのだが、男性も女性もさほど差はないようである。女性のほうが脳梁《のうりょう》の部分がいくらか広いとか、そのくらいのことだ。だから数学や将棋の能力において男女差があるというよりは、個人的なところが大きいようには思う。男性だから、女性だからというのではなくて、女性にだって男っぽい脳を持っている人はいるだろうし、その逆もまたしかりだ。

ジェンダーについてもそういった面がある。今はＬＧＢＴに関してさまざまな議論がなされているが、脳内の分界条床核《ぶんかいじょうしょうかく》というところが大きいと性自認が男になり、小さいと女になるのだとする説がある。脳は身体の男女の構造と必ずしもパラレルにならず、多少とも独立に発達して、卵子が受精をしてから5カ月くらい経過しないと分界条床核の構造は決まらない。そこで初めて、身体の構造とは別に、自分の性自認が男になるか女になるかが決まるのだといわれている。

そのときに、性自認を決定するとされる分界条床核の大きさにはグラデーションがあるから、男性、女性というふうに単純に2つには分かれない。分界条床核の大きさが中くらいの場合は、自分の性が男女のどちらかわからないということにもなるだろう。

最近は、そのような男女の別がつかない人がいることが認知され、ＬＧＢＴにＱが加えられた。Ｑとは「クエスチョニング＝自身の性自認や性的指向が定まっていない、もしくは意図的に定めていない」とか「クィア＝風変わりな・奇妙な」を意味している。

そういったことからも、男とか女とかで分けるよりも人間としての個性の違いを認めていくほうが合理的なのだろう。自分の個性を性別の観点からではなく、さまざまな特性から見極めることが、これからの時代は大切になってくると私は考えている。

天才は脳の使い方が違っている

一般的に、脳全体を使うことについては女性のほうが上手な傾向があるといわれていて、そうすると感性の部分では女性のほうが優れているところがあるのかもしれない。小説などは女性のほうが情感豊かな作品を書くことが多いし、楽器の演奏についても女性のほうがうまい人は多い。

しかし、同じ音楽でも大作曲家となると男性のほうが多く、それは時代的な要因もあったのだろうが、演奏と作曲では脳の働きが違ってくるところもありそうだ。

とはいえ、ショパンの作曲が素晴らしいことは現代でもわかるけれど、ピアノの演奏がどれほどの腕前だったのかは確認しようがないので、そこはなんとも言いようはない。

これは私の推測になるのだが、世界的なピアニストである辻井伸行は、目が見えないぶん、音楽の才能が豊かになったというところがあるのではないか。目から入った刺激は後頭葉で処理されるのだが、辻井の場合はその刺激が届かないから後頭葉の脳の容量が空いている。彼は生後7カ月くらいからいろいろなレコードを聴いていたというから、そのときに空いていた後頭葉が音楽脳に変化していったのではないだろうか。

一般的には右脳で音楽を聴き、後頭葉は視覚を司るというように分業になっているけれど、辻井の場合は右脳と後頭葉を音楽用に使うことで、音楽に携わる神経細胞がかなり多くなって、それだから音楽の才能に優れているのではないかと想像している。

一般の人が歌うときは右脳を使うが、優れた歌手は左脳も使っているという話もある。だから飛び抜けた天才というのは、音楽に限らず脳の使い方が普通の人とは違っていて、いい意味でズレている。将棋の藤井聡太も、将棋用の脳みそが他の人よりも大きくなっているのではないかという気がする。

19歳で大学卒業した天才・望月新一

脳の機能はだいたい8歳くらいまでに決まり、それによって個性が生じる。だから8歳くらいまでのときに、子供が「いちばん面白い」「いちばん得意だ」ということをやらせてあげるといいのかもしれない。

ピアノは4~5歳くらいから、将棋は5~6歳くらいから始めないと「天才」になるのは難しいようだ。他にも学業以外のことであれば、何かしら地域の教室やクラブなどがあるから、そこに入って才能を伸ばすことができるだろう。

しかし、数学などの学問に優れているということになると、飛び抜けて優秀な子供をさらに高みにまで引き上げるようなシステムが、日本にはない。逆にできる子の頭を叩いてひっこめようとしているのが今の学校教育だ。外国の場合は、飛び抜けた才能のある子供をギフテッドと言って、その才能をサポートする体制ができているが、日本にはそれがない。

望月新一という京都大学の教授をしている数学者は、長年にわたって数学の未解決問題とされていた「ＡＢＣ予想」を解いた人物として知られている。「望月の証明には問題がある」との指摘も一部にはあるようだが、そこのところは私にはわからない。

彼は２０１２年にＡＢＣ予想を解いたとき、「どうせ誰も認めてくれないだろうから」と学会に発表するのではなく、自分の京大のＨＰ上に英文で５００ページほどの長い証明を公開した。だがこの時点では、それを読んでも並みの学者レベルではよくわからなかったようだ。これを理解するためには、もっと別のいろいろな数学的知識を知る必要があったのだ。

望月のもとを訪れてレクチャーを受けて、それでやっとなんとなくわかるという人が出てくるなど、最初の発表から10年近くが経ってようやく数学専門誌に査読付きの論文として掲載された。それまでは望月の論文を読んでもほとんど誰もわからなかったし、今でも理解している数学者は世界で10人とか20人といった程度だといわれている。

そんなものすごい天才である望月は、父親の仕事の関係で5歳のときにアメリカへ渡り、それで飛び級でどんどん昇級していって19歳でプリンストン大学の学士課程を卒業した。そして23歳でｐｈ.Ｄ（Doctor of Philosophy＝日本の博士に相当）の学位を取っている。日本だと、どんなに早くても27歳にならなければ大学院の博士課程を修了できないから、それまでは博士の学位を取ることができない。今は27歳で取る人も増えたが、私たちの時代だと大学院を修了しても簡単には学位をくれなくて、私が博士の学位を取ったのは30歳のときだった。

これがアメリカだと飛び級していって、21歳とか22歳でさっさと取ることができる。だから１９７６年にノーベル経済学賞を受賞したアメリカの経済学者ミルトン・フリードマンは、20歳を少し過ぎた頃には自分よりも年上の学生たちを、大学の助手として指導していた。しかし、日本ではそういうことはない。日本だと、自分よりも年下の人間に偉そうな顔をされるのが嫌だというのもあるのかもしれない。

「コスパ」「タイパ」で本当の学びはできない

学びというのはもともと、他人を真似することから始まる。そのとき、本当の学びとは何かと言うと、真似をすることによって、その真似のもとになっている相手のベーシックな考え方を自分の考えにするということである。

たとえば我々が最初に言語を覚えるときは、父親と母親が話しているのを聞いて覚える。最初はそれをただ単に真似しているだけだが、そのうちに自分なりの文法をつくっていく。日本人は誰もが同じ日本語をしゃべっていると思っているかもしれないが、実は言葉を覚え始めた子供の頃から、人それぞれに自分なりの日本語の文法をつくって身に付けている。そして、そのようにして自分の文法を持っている人をネイティブスピーカーという。

私は英語で講義をしていたこともあるし、英語の論文も書いてはいるけれど、自分の英語が正しいかどうかとなると確信が持てない。しかし、自分の使っている日本語については正しいという確信がある。これがネイティブスピーカーかどうかの違いだ。

これは誰でも同じで、自分の使う日本語に違和感を覚えないのは、自分で日本語の文法をつくった上で、しっかりと身に付けているからなのだ。その文法は、実は他人と少し違ったりするかもしれないけれど、それでも自分でつくった文法は無根拠に正しいという確信を持っているので、それに基づいて話す自分の言葉も正しい日本語だと信じているわけだ。

これは語学に限った話ではなく、どんな学問であっても「ある境地」に達することが「本当の学び」というものなのだ。

たとえば、誰かが何かの理論を発表したときに、それを「学ぶ」というのは、その理論を丸暗記するだけではなく、それを自分のものにして、自分で納得して、自分で考え出したと思うことができるくらいまでになることをいう。

極端なことを言うと、ある理論を納得するということは、その理論の創始者と同じことを自分の頭の中で再現できること。それが学びなのだ。その境地に達すれば学問も面白くなってくる。

今は何かとタイムパフォーマンスやコストパフォーマンスのことばかりが重視さ

れるが、たとえば政治でも歴史でもいいのだが、ユーチューブの解説動画を2倍速で見たところで、それを学びとは言えない。雑学を身に付けることはできても、本当の学びとはほど遠い。興味を持ったことを本当に学びたいというのであれば、せめてそれに関連する本を何冊か読むくらいのことは必要だ。自分の頭の中でもやもやしているものを言語化するのは、なかなか難しいことで、それなりの訓練が必要になるし、時間もかかる。

「自分はあまり文章がうまくないな」と思っている人は、文章がうまいと思う人の書いたものを写経のようにして写すといい。これは結構効果がある。真似を続けていると、それを書いた人の持っている文章のリズムや息遣いが感じられるように思えてくる。そうやっているうちに、自分で書く文章もその人の文体に似てきて、いい文章が書けるようになる。

私も以前は、私淑する作家のエッセイを暗記するくらいまで読んだもので、そうすると文章のリズムみたいなものがわかってくる。そういうことを続けることで、うまい文章が書けるようになる。

本当のコミュニケーションとは何か

　このところ、ＳＮＳ上での誹謗中傷が問題になっている。誹謗中傷をする人間の気持ちにはよくわからないところもあるのだが、彼らがコミュニケーション能力に欠けているということは確かだろう。

　一般的にコミュニケーションというと、まず確固たる自分があって、一方では確固たる他人があって、その間で意見をやりとりすることを指すことが多い。

「俺の意見で相手をやっつける」と挑んで、言い負かされたら自分が落ち込むというのがコミュニケーションだと思っている人を、とくにＳＮＳ上でよく見かけるように感じる。あるいは国会審議の質問や答弁でも、ただ自分の意見を言って、相手も意見を言って、という言葉のやりとりをしているだけのことがほとんどだ。

　しかし、それらは本当のコミュニケーションではない。本当のコミュニケーションとは、自分から何かを発信して、相手も何かを発信して、それが混ざり合うことによって自分も相手も変わることをいう。自分だけの意見を言って、相手の意見を聞いてというだけではコミュニケーションとは言えない。自分の偏った意見を一方的に相手に叩きつけるだけの誹謗中傷などは、コミュニケーションの本質から、はるかに遠いのだ。

コミュニケーションとは基本的に、何かをやりとりすることによってお互いが変わることなのである。

これを生物の進化から見てみよう。最初に誕生した生物は原核生物だった。要するにバクテリアである。原初の地球では原核生物のバクテリア同士がコミュニケーションをしていた。そうしてくっついて融合した結果、原核生物とは異なった、核膜を持つ真核生物が誕生した。それが私たちのいちばん大元の祖先になったのである。

交じり合って変化が生まれることをコミュニケーションと定義したときに、人間にとっての本当のコミュニケーションというのはセックスをすることである。

セックスによって卵子と精子がコミュニケートして、その結果として、行為者である男性とも女性とも違う新たな個性を持ったものが生まれてくる。セックスというコミュニケーションによって、オリジナルから変化した新たな個性が誕生するというわけだ。

自分自身のことについても、他人と言葉を交わすなどした結果、「成長を感じることができた」「新たな知見を得て一段階上に行くことができた」「何やら面白くなってきた」などと自分が変わることがコミュニケーションの本質だ。コミュニケートすることによって楽しく感じるのは、自分が変わった証拠であり、人間は自分が変わらないことには楽しいと感じないのである。

誰かと話をしても、まったく自分の考えや感情が変わらなかったり、楽しいどころか不愉快な負の感情を抱いたりするのはコミュニケーションではない。誰かと話しても、昨日の自分も、今日の自分も、明日の自分も同じだというのは頭が硬直している人で、そういう人が高齢者になると、他人の言うことを聞かないで自分のことだけを話すような老害的存在になってしまう。

実際にそういう人は多いように思うのだが、そういう人間になってしまうと、誰も寄ってこない、つまらない人生を送ることになる。それはそうだろう。会話をしてもなんら変化のないような人と、わざわざ話をしようという人がいるわけはない。

やはり自分と相手がいて、相手の意見を取り入れて、それを認めて、自分から進んでそれを取り入れて変わろうとすることによって、人間はとても面白く生きることができるのだ。

共感を求めることが排除の論理につながる

昨今は一つの意見だけを絶対的に正しいと信じて、他者に共感を強要するような風潮も見られる。ディベートをしたときに、自分と違う考えを主張されたなら、やはり相手のことを憎たらしく感じるものだし、どちらの論が正しいかというのは究極的にはわからないことも多いにもかかわらず、共感ばかりを重視しすぎると共感しない人間を排除したくなるのだろう。

自分と違う考えを持っている相手に「私に共感しろ」というのは、一種の同調圧力となる。同調圧力とは同調しない人間をパージすることである。それよりも大事なのは、お互いに共感しなくとも「共存」が許される社会の在り方だ。

コロナ禍のときにはマスクを着けていない人を、みんなが寄ってたかって非難していた。芸能人の不倫報道などもそうだが、共感できない対象を見つけ出し、吊し上げて、みんなでいじめるということが、何か当たり前のことになっている。

人間は昔から、集団が大きくなって全員が顔を合わせて物事を決めることができなくなれば、明文化したルールをつくってきた。今でも大企業では就業規則などのルールをつくっているが、社員数が50人くらいの中小企業などは、とくに禁則を定めたルールなどをつくらず、その時々の状況に応じて物事を決めていくことが多いのではないか。そして、むしろそういう会社のほうがうまくいくケースも多い。ルールをつくるとルールに縛られてしまうからだ。

4人程度の家族のなかで「家族ルール」のようなものを決めている家もあるようだが、そういう家の子供ほどルールに反発してグレたくなるのではなかろうか。門限が決められていて、少しでも遅れると問答無用で怒られる。しかし本当に大切なのはルールではなく、その集団の中で生きている人間なのだ。ルールなどというものは、人間が気持ちよく生きるための方便にすぎない。

ましてや、誰が決めたわけでもない「いついかなるときもマスクを着用しろ」「不倫した芸能人がテレビに復帰することは許さない」といったことを、自分が思っているだけならまだしも、他人にまで共感を求めるというのは、狂気の沙汰としか思えない。

進化論に基づいた最適な生き方を考える

私は大学や大学院で生態学を学んでいた頃から進化論に興味があった。当時の進化論は「ネオダーウィニズム」が主流だった。これは「突然変異と自然選択」を進化の主な要因とする考え方である。大学院の頃にリチャード・ドーキンスの提唱した「利己的遺伝子」の話を知って、その後に山梨大学で講師として教壇に立ったときも、なんとなく怪しい理論だと思ったけれども、主流の理論なので学生にはドーキンス流の進化論を教えていた。

しかし、しばらく経つと「ネオダーウィニズムは壮大な錯誤体系ではないか」と考えるようになった。そのときに思いついたのが、スイスの言語学者フェルディナン・ド・ソシュールの提唱した構造主義を生物学に当てはめて、進化論をネオダーウィニズムとはまったく異なるパラダイムに書き換えるということだった。

　これは簡単に言うと、「生物の形質を決めるのは個々のＤＮＡというよりも、ＤＮＡの発現を司るシステムであり、これは進化史的には恣意的に決まる」という考え方だ。

　たとえば人間とチンパンジーはＤＮＡの98・8％が同じで、それなのに外形も能力もまったく異なるのだが、その違いは個々のＤＮＡに起因するのではなく、生物としてのシステムの違いによるものだと考える。

　あるいはクジラとウシやカバ、キリンなど偶蹄目との違いもそうだ。ＤＮＡ解析によると、クジラは偶蹄目のカバと系統的に近く、現在の生物学ではクジラと偶蹄目を同じグループに入れる流れがあるのだけれど、それぞれ身体の形態や機能はまったく違う。これは進化の過程でシステム上の大きな変化が起こったからだと考えられる。

　つまり、ネオダーウィニズムでは環境に適した突然変異が選択されて、生物が徐々に環境へ適応していったと信じられてきたが、そうではないということ。クジラは水中での生活に適応するために突然変異と自然選択の繰り返しで今の形態になったのではなく、5000万年前のクジラは4本の足で地上を歩いていたが、脚がなくなってしまったので、仕方なく海に生活の場を求めたという考え方である。

そして人間も、環境に自分を合わせるのではなく、自分にとって都合のいい環境を選んで結果的に「適応」したようになるほうが生物として自然なのではないか、というふうに私は考えている。私はこれを「能動的適応」と呼んでいる。

コロナ禍のときに気づいた人も多いだろうが、会社のルールに縛られて働くよりも、自分の働きやすいところで働くことが生物としての本性に合っている。リモートで会社の業務がしっかりこなせるのなら、無理に定時出勤する必要はないだろう。逆に他の人と直接会って会話などをしないと、仕事をしている気にならないという人もいる。

どちらも好きなように選ぶことができて、「ずっとリモートでもOK」「会社に立ち寄らず外回りだけをしていてもいい」というように、いろいろな仕事のやり方を選ぶことのできる会社が増えれば、徐々に日本の社会も変わっていくのではないだろうか。自分の個性に合わせて能動的に適応するのが、生物としては正しい生き方なのだ。

優生学思想が蘇る現代社会

優生学とは、ある人物や集団にとって「優秀」とみなした人間の血統だけを次世代に残していこうとする考え方だ。そのため、「劣っている」とみなされた存在の血統を絶やそうとしたり、有益な血統になるよう改良を試みたりする。

そのなかでも代表的なものが、ナチスによるユダヤ人の迫害だろう。ナチスはユダヤ人の大量虐殺を行ったり、「優秀」とされるナチスの親衛隊と若い女性との間に無理やり子供をつくらせたりもした。

かつて日本でもハンセン病患者の隔離政策や、優生保護法による不妊治療というようなことがあった。こういったことは、忌まわしい過去の過ちとして封印されるべきものであると考えられてきた。ところがここにきて、再び優生学的な考えが目に付くようになってきた。

わかりやすいところだと、２０１６年に神奈川県相模原市で起きた「知的障害者施設殺傷事件」だ。この事件では、「津久井やまゆり園」の入所者45人が、元施設職員によって殺傷され、このときに犯人は「障害者への強烈な差別意識」と「自分勝手な理屈に基づいた歪んだ正義感」を持っていたことが明らかになった。

出生前診断というのも当たり前のように行われるようになっている。出生前の胎児の遺伝子や染色体を検査して、障害児が生まれる可能性が高いと診断されたときには出産を控える判断ができるというものだ。検査を受けて出産を控えることが現状において罪になるわけではないけれど、これも優生学の考え方に通じるものがある。もちろん、そうはいっても当事者には様々な事情があるので、障害児の中絶を一概に非難できるわけでもない。

受精卵の段階でゲノム編集などを行うことによって、親が望むような外見や能力を持たせた子供を人為的につくり出す「デザイナーベビー」というのも、根本には優生学的な思想があるだろう。２０１８年には実際に中国でゲノム編集を行った子供が生まれたとの報道もある。

そうやって生まれた「優秀な子」を我々の社会はどのように受け止めるべきなのか。今後デザイナーベビーが続々と誕生し始める可能性があるだけに、しっかりと考えておかなければならない。

自我を大切にして自分を律する生き方

極論を言えば、人生には生きる意味はない。ネガティブな思想のように聞こえるかもしれないが、これはきわめてポジティブな思想である。

「生きる意味」というものは「生きる目的」とセットになっていて、このことばかりに気を取られてしまうと、何か特別な目的が見つからないと生きることがつらくなり、周囲と自分を比べることが増えて孤独になり、最悪の場合は自殺に至ったりもする。

昆虫学者のジャン・アンリ・ファーブルは再婚相手との間で、64歳、66歳、71歳にして子宝に恵まれたという。

そんなファーブルの年齢を超えた今、71歳で子どもをつくることの意味がわかるようになったかというと、やはりよくわからない。肉体的な老化については身に染みてわかるようになったが、それ以外には、歳を取ったからといってわかるようになることはあまりない。

だが、そんななかでもよくわかったのが「人生に生きる意味なんかない」ということだった。若い頃は、頭に余力があって余計なことを考えることもできるから「人生の意味」などということも考えたくなるが、心を虚しくして見てみれば、人生に意味などないのは当然のことのように感じる。

そもそも悠久の宇宙の歴史から見たときに、人類の生存や繁殖などはあまりにもちっぽけで、そのこと自体からしても何か意味があるようには思えない。

「人生に生きる意味などない」ということがしみじみと腑に落ちてから、私は死ぬことがあまり怖くなくなった。私は若い頃から、完膚なきまでの無神論者で宗教に魅力を感じたことは一度もない。宗教を信じる人というは、結局のところ、死ぬのが怖いのだと思う。

人間と違って動物は苦痛から逃れたいとは思うだろうが、死ぬことに恐怖を感じたりはしないだろう。動物は脳の構造からしても、人間のように確固たる自我を有していないので、そのような哲学的思考をすることはまずあり得ない。

人間が死を恐れるのは、自我がなくなるからだ。現在の脳科学によると、自我は前頭連合野に局在するらしい。この部分は他の動物と比べたときに、人間がいちばんよく発達している。

個人の内的な感覚としては、自我は自分以外の全存在と拮抗する唯一無二の実在である。死ぬということは、自分以外の存在物のほとんどが無傷のまま保たれるのに、自分にとって唯一無二の自我が喪失することを意味する。

つまり死を怖がるのは、自我の喪失を恐れているからであり、生きている人間にとっての自我とは、それほど大切なものだとも言える。

だからせめて、生きている間は自我をしっかりと大事に保っていきたいものである。そのためには、自分で自分の生き方みたいなものをしっかり決めて、それをなるべく守っていくことが大切だ。

自我を守るといっても「自分の好き勝手をしてデタラメに生きろ」ということで

はなく、自分で規範をつくることが重要だ。他人から与えられた規範ではなく、自分で一種の「マイルール」をつくり、それを守っていくという生き方だ。このときに法律に違反するようなマイルールではダメなのだが（ダメという意味は、倫理的や道徳的にダメということではなく、この現実世界では法律を守らないと生きづらいからという意味だ）、そうでなければどんなルールをつくろうとも、それは自由だろう。

最近の研究によると、人類の自然寿命は38歳くらいだという。チンパンジーもゴリラもネアンデルタール人もだいたいそのくらいで、生物学的には人間も同じくらいだというのだ。それなのに人間の寿命だけが伸びたのは、医療と食べ物の影響だと考えられる。

ともかく、本来の寿命が40歳くらいまでならば、それ以降はオマケの人生のようなものである。だったら儲けものだと思って、好きなように楽しんだらいい。世間のルールにとらわれず、法に触れない範囲で自分のルールを持って生きていけばいいのだ。

健康のためだといって無理をして食事を制限したり、禁煙や禁酒する必要もない。それをやったからといって長生きするとは限らない。かつてフィンランド保健局が、40〜45歳の働き盛りの男性１２００人を対象にして「健康管理をしっかり行った群」と「なんの指導もしない群」に半々に分けて追跡調査を行った。15年後の結果はどうなったかというと、管理された人は67人、管理されなかった人は46人亡くなったという。管理されていた人のほうがたくさん亡くなっていたのだ。

このことの意味は、管理したところで特別に健康になるわけではなく、かえって管理されることのストレスのほうが害になるということなのだろうと私は解釈している。そしてこのことは今の日本にも当てはまることだと思っている。

遠くない将来に日本は潰れる

今の日本はいろんな意味で生きづらい。それなのに若い人はあまりデモをすることもなくなってきたし、個人として政治的に何かに与《くみ》することもほとんどない。

少子化や地球温暖化、国の財政悪化など、社会の暗い問題を若者が背負わされるような話ばかりを聞かされていたのでは、前向きな気持ちになることができないのも仕方がないと思わなくもない。

本来ならばそうした問題は、政治家や官僚が考えなければいけない。しかし政治家も官僚も、国民の生活や国家の未来はどうでもいいようで、自分たちが儲けることや、自分たちが生き残ることしか考えていない。それが第一義になっていて、日本という国が10年後にどうなるかなどということは考えていないように見える。

大半の日本人もマジメで「頭がいい」、すなわち、政治家と同じで目先の利益しか考えないから暴動は起きない。しかし、何かきっかけがあって、誰かが「政治家の裏金に税金がかからないのはおかしい」「もう確定申告の書類を出さない」などと言い出して、それに賛同する人間が１００万人、２００万人のレベルになれば、権力側も全部は追い切れなくなるだろう。それで多くの人が「税金を払わない」ということになってしまえば、１００万単位の人を捕まえてブタ箱に放り込むことなどできないから、国家が法的アノミー（無規範状態）になることは避けられない。

しかし、大半の日本人はマジメで教育によって骨抜きにされているので、「政治家があれほど勝手に税金を使っているのに、俺たちはなんで1円単位まで領収書を出して税金を納めなければいけないのか」とぼやきながらも確定申告をしている。

そんな状況に政治家たちは胡坐《あぐら》をかいている。しかし、同調性が強い日本人は、確定申告をしないで税を払わなくて済むという噂が拡がれば、あっという間に税金を払わない人が増え続け、国はお手上げとなる可能性もゼロとは言えない。

自分たちだけが特権階級で甘い汁を吸うことを当然と考えている国政、官庁、メディア、大企業に巣くう「秀才エリート」を駆逐しない限り、日本が潰れるのは時間の問題のような気がする。

池田清彦（いけだ・きよひこ）
1947年、東京都生まれ。生物学者。東京教育大学理学部生物学科卒、東京都立大学大学院理学研究科博士課程生物学専攻単位取得満期退学、理学博士。早稲田大学名誉教授、山梨大学名誉教授。高尾599ミュージアムの名誉館長。フジテレビ系『ホンマでっか!?TV』などテレビ、新聞、雑誌などでも活躍中。著書に『驚きのリアル「進化論」』（扶桑社新書）、『SDGsの大嘘』『バカの災厄』（ともに宝島社新書）、『年寄りは本気だ はみ出し日本論』（共著、新潮選書）など多数。

宝島社新書

「頭がいい」に騙されるな

（「あたまがいい」にだまされるな）

2024年5月24日　第1刷発行

著　者　池田清彦
発行人　関川　誠
発行所　株式会社　宝島社
〒102-8388 東京都千代田区一番町25番地
電話：営業　03(3234)4621
　　　編集　03(3239)0927
https://tkj.jp
印刷・製本：中央精版印刷株式会社

ISBN 978-4-299-05454-8